6.Jh.	7.Jh.	8.Jh.	9.Jh.	10.Jh.	11.Jh.	12.Jh.	13.Jh.	14.Jh.	15.Jh.

ild von
in Ravenna,

Kaiser Karl der Große,
gekrönt 800

Heinrich IV,
Gang nach Canossa, 1077

Columbus
entdeckt Amerika,
1492

Wikingerschiff, Oseberg,
9.Jh.

Erasmus von Rotterdam,
1466-1536

Skulpturen
der Kathedrale
von Chartres,
1134-50

ahrtausenden

Thomas Morus
1478-1535

Schreibender Mönch,
10.Jh.

nna, San Apollinare
asse, 6.Jh.

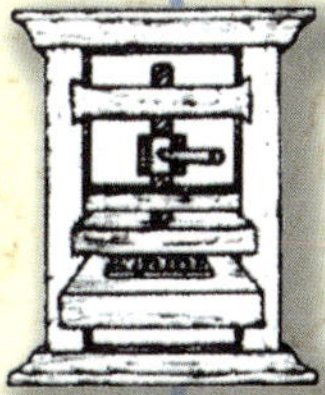

Erfindung
des Buchdrucks
(Gutenberg),
um 1450

Tower von London,
um 1080

onstantinopel,

Dom zu Speyer, 1061

Palazzo Pubblico,
Siena, 1297-1376

FELIX

Das Lateinbuch

Ausgabe B
Band 3

C. C. Buchner R. Oldenbourg

FELIX

Ausgabe B
Herausgegeben von
Clement Utz, Regensburg, und
Prof. Dr. Klaus Westphalen, München/ Garmisch-Partenkirchen

FELIX - Das Lateinbuch, Ausgabe B, wurde erarbeitet von
Franz Haslbeck, Mallersdorf, Reinhard Heydenreich, Forchheim,
Ulrich Tipp, Fürth, Clement Utz, Regensburg, und
Prof. Dr. Klaus Westphalen, München/Garmisch-Partenkirchen.

Als Grundlage diente **Felix, Ausgabe A,** bearbeitet von
Josef Burdich, Neuss, Klaus-Uwe Dürr, Hamburg, Ingrid Hesekamp-Gieselmann, Rheine, Dr. Rainer Nickel, Göttingen, Helmut Quack, Husum, Ulrich Tipp, Fürth, Clement Utz, Regensburg und Prof. Dr. Klaus Westphalen, München/Garmisch-Partenkirchen.

FELIX wurde im C.C. Buchners Verlag betreut und redigiert von Gerhard Dittrich.

2. Auflage 2 6 5 4 3 2008 07 06 05
Die letzte Zahl bedeutet das Jahr dieses Druckes. Alle Drucke dieser Auflage sind, weil untereinander unverändert, nebeneinander benutzbar.

Dieses Werk folgt der reformierten Rechtschreibung und Zeichensetzung. Ausnahmen bilden Texte, bei denen künstlerische, philologische oder lizenzrechtliche Gründe einer Änderung entgegenstehen.

Satz: Artbox Grafik und Satz GmbH, Bremen
Druck: Graph. Großbetrieb Friedrich Pustet, Regensburg.

www.ccbuchner.de / www.oldenbourg-bsv.de

C.C. Buchner ISBN 3 7661 **5243** 2
Oldenbourg ISBN 3 486 **18474** 1

Liebe Feliciani!

Jede Reise nimmt einmal ein Ende, und ihr habt nun schon den dritten und letzten Band eures Lateinbuchs in Händen. Felix wird euch aus dem alten Rom nicht nur in andere Länder, nämlich nach Germanien und Britannien, führen, sondern auch in andere Zeiten, in denen die lateinische Sprache eine große Rolle spielte: ins christliche Mittelalter und in die frühe Neuzeit. Dabei erfahrt ihr Interessantes über Politik, Politiker und das Zusammenleben der Menschen, aber auch über Schüler, Lehrer und Schule – und nicht zuletzt über Sport und Spiele. Also viel Abwechslung, bis ihr ans Ziel der Zeitreise gekommen seid.

Was ist dieses Ziel, was habt ihr schließlich erreicht? Ihr habt nicht nur Latein als Sprache gelernt, sondern auch eine Menge über antike Kultur erfahren, also eure Allgemeinbildung erweitert; darauf könnt ihr stolz sein. Und vielleicht habt ihr bemerkt: Über Latein lernt man auch mikroskopisch genau zu lesen - das werdet ihr später gut gebrauchen können.
Wie geht es weiter? In einer Phase des Übergangs werdet ihr in die Lektüre längerer, zusammenhängender Texte eingeführt und dann beginnt die Originallektüre berühmter lateinischer Schriftsteller.

Erfolgreiche Arbeit mit Felix B III und weiterhin viel Spaß mit Latein wünschen euch

Herausgeber und Autoren

Cari magistri et magistrae!

Hoc volumine tertio ultimoque FELICIS finem huius cursus assequemini. Res grammaticae, ut opinamur, minus difficiles sunt quam in libris praecedentibus. Solum illae formae, quae -nd- nominantur, discipulis in toto ignotae erunt. Sed FELIX etiam hoc loco viam probabilem monstrabit.
Si vobis placebit, novam rationem transitionis ad lecturam experiri poteritis: Libelli quidam, qui TRANSIT appellantur, discipulos vestros fabulis attractivis atque exercitationibus utilibus in lecturam introducent.

Gratias vobis agimus pro studio vestro et permultis laboribus. Speramus vos FELICE nostro contentos fuisse.

Ut semper valeatis, optant

Editores et auctores

Unser Fahrplan

Erziehung und Bildung

Wortschatz und Grammatik

Germanien und Britannien

Wortschatz und Grammatik

Christentum und Kirche

Wortschatz und Grammatik

Sport und Spiele

Wortschatz und Grammatik

Politik und Utopie

Wortschatz und Grammatik

Abkürzungsverzeichnis

Abl.	Ablativ	Impf.	Imperfekt	Part.	Partizip
AcI	Akkusativ mit Infinitiv	indekl.	indeklinabel	Pass.	Passiv
		Ind.	Indikativ	Perf.	Perfekt
Adj.	Adjektiv	Inf.	Infinitiv	Pers.	Person
Adv.	Adverb	jem.	jemand(en/em)	Pl.	Plural
Akk.	Akkusativ	intrans.	intransitiv	Plusqpf.	Plusquamperfekt
Akt.	Aktiv	Komp.	Komparativ		
Dat.	Dativ	Konj.	Konjunktiv	Präd. nom.	Prädikatsnomen
Dekl.	Deklination	Konjug.	Konjugation		
dt.	deutsch	kons.	konsonantisch	Präp.	Präposition
f	feminin	lat.	lateinisch	Präs.	Präsens
Fut.	Futur	*m*	maskulin	Pron.	Pronomen
Fw.	Fremdwort	m.	mit	Sg.	Singular
Gen.	Genitiv	Nom.	Nominativ	Subj.	Subjunktion
gr.	griechisch	*n*	neutrum	trans.	transitiv
Imp.	Imperativ	PPP	Partizip Perfekt Passiv	vgl.	vergleiche
				Vok.	Vokativ

He Felix, quo vadis?

FELIX Wohin ich gehe? Das seht ihr doch: ad ludum!

- Und was hältst du da in der Hand?

FELIX Das sind meine 'Hefte'.

- Aber das sind ja Tafeln! Die braucht man doch nicht zum Spielen.

FELIX Von 'Spielen' ist auch nicht die Rede: Mit 'ludus' war nämlich 'Schule' gemeint. Ich hätte natürlich auch 'ad grammaticum' sagen können.

- Das hört sich schon eher nach Schulunterricht an. Aber sag mal, was lernt ihr denn da? Habt ihr zum Beispiel auch Mathematik?

FELIX Also, unser Mathe-Unterricht ist mit eurem nicht zu vergleichen. Wir rechnen nur Aufgaben mit Geld und Länge und Breite und so weiter. Meistens lesen wir aber Geschichtstexte und Gedichte.

- Und alles auf Latein?

FELIX Nein, nein! Wenn man kein Griechisch kann, versteht man nur die Hälfte. Einige unserer Lehrer sind nämlich Griechen, die gar nicht so gut Latein können. Meistens werden uns die Texte vorgelesen.

- Die Lehrer lesen euch also im Unterricht etwas vor und ihr müsst nur zuhören? Das ist ja langweilig!

FELIX Ganz so ist es auch wieder nicht. Gestern zum Beispiel musste ich ein Gedicht von Vergilius aufsagen. Das ist ein ziemlich berühmter Dichter. Na ja, ich hab' mich zweimal versprochen und prompt hat der Grammaticus mir eine Ohrfeige gegeben. Bei uns heißt er nur 'Plagosus', der Schläger – natürlich, wenn er es nicht hört, sonst ...

- Was du da erzählst, hat mit Spielen wohl weniger zu tun.

FELIX Das mit 'ludus' ist auch mehr ein Ausdruck aus der Grundschule. Bei uns ist 'disciplina' eigentlich viel wichtiger. Sed nunc valete, amicae atque amici. Ad lud ..., ad disciplinam properare debeo. 'Plagosus' me exspectat.

Erziehung und Bildung

Aufgaben

- (a) Vergleiche die drei Darstellungen von 'Schule'. Welche Gemeinsamkeiten und welche Unterschiede erkennst du?
- (b) Versucht in Gruppenarbeit darzustellen, wie eine Schulstunde im Altertum und im Mittelalter vermutlich ablief.
- (c) Bildet in der Klasse zwei Gruppen. Die eine Gruppe vertritt die Meinung, Schule sollte eher 'ludus' sein, die andere ist mehr für 'disciplina'. Sammelt Argumente.
- (d) Projekt:
  Bereitet eine Lateinstunde vor, wie ihr sie euch wünscht. Ihr könntet eine Lektion durchnehmen oder euch von eurer Lehrerin/eurem Lehrer einen neuen Text geben lassen. Sie/Er könnte in dieser Stunde Schüler oder Schülerin sein.

1. Multa discere etiam Felici nostro interdum non placet.
2. Itaque quaerit: „Quis necessitatem (Notwendigkeit) discendi invenit?
3. Vosne studiosi estis multa discendi?
4. Quis semper paratus est ad discendum?
5. Num multa discendo etiam magnas divitias possidebimus?“

Latein gehört zur Bildung

Karl der Große († 814) war nicht nur Begründer eines Großreiches, aus dem Frankreich und Deutschland hervorgingen, sondern auch ein großer Förderer von Kultur und Bildung. Er berief die bedeutendsten Gelehrten aus den verschiedensten Ländern an seine „Hofschule“, um Literatur und Wissenschaft zu pflegen.
Da die höhere Bildung durch die Kirche, vor allem in den Klosterschulen, vermittelt wurde, engagierte er sich besonders für eine gute Ausbildung der Geistlichen.

Carolus erat dicendi peritus atque omnia copiose exprimere[1] poterat; multum enim temporis ad discendum et legendum impendit. Nec patrio sermone contentus etiam peregrinas linguas discere studuit; linguam Latinam ita didicit, ut et Latine oraret et Latinos sermones haberet.
Ut ipse liberos suos educaret ad recte vivendum, numquam sine illis cenabat, nullam occasionem omittebat illos liberalibus studiis[2] erudiendi.
Carolus, cum multis in scriptis[3], quae a monasteriis acceperat, sermonem incultum[4] cognosceret, consilium cepit epistulam ad abbates mittendi; haec fere scripsit:
„Quod scriptores pii dicere volunt, hoc propter neglegentiam discendi verbis exprimere[1] non possunt. Itaque timeo, ne verborum errores etiam mysteriis[5] divinorum librorum periculosi fiant; vos igitur magistros idoneos eligendo eruditionem augere debetis. Tales ad hoc opus viros eligite, qui et voluntatem discendi et desiderium alios instruendi habeant[6].“

---

1 ex-primere: *zu* premere
2 līberālia studia *die eines freien Menschen würdigen Studienfächer (vgl. I)*
3 scrīptum: *hier Subst.* 4 in-cultus *ungebildet* 5 mystērium *Geheimnis*
6 habeant: *dt. Ind.*

a) Woran wird deutlich, dass Karl der Große Kultur und Bildung förderte? Welcher Bereich der Bildung interessierte ihn besonders?
b) Stelle aus L alle Gerundiumformen zusammen, die durch ein Adverb oder ein Akkusativobjekt erweitert sind.

c Überprüfe die Möglichkeiten, ein Gerundium wiederzugeben, an den folgenden Wendungen und übersetze:
modus vivendi – spes fugiendi – libros recte legendo – in discendo proficere – de bene vivendo disputare – paratus ad pugnandum – studiosus audiendi – occasio dolorem leniendi – consilium Italiam relinquendi – ars dicendi – mentem discendo alere

d Bilde zu den folgenden Verben die 1. Pers. Sg. Ind. Präs. Akt. und die wichtigsten Formen des Gerundiums:
Beispiel: discere: disco, discendi, ad discendum, in discendo
imperare – capere – ferre – videre – gerere – redire – dormire

e Ordne zu und übersetze:
computandi[1] – discendi – instituendo – ad docendum – dicendi
Carolus ① peritus erat. Scholas ② eruditionem augebat. Ipse etiam artem ③ discebat. Nonnulli scriptores studium ④ neglexerant. Itaque Carolus ad abbates epistulam misit, ut magistros ⑤ aptos eligerent.

f Welche Fremdwörter zu den folgenden lateinischen Vokabeln kennst du? Gib auch an, wie sich die Bedeutung jeweils geändert hat:
tempus – consumere – studium – instruere – optimus

g Hast du die folgenden Beobachtungen auch schon machen können?
DOCENDO DISCITUR.
DELIBERANDO SAEPE PERIT OCCASIO.
NIHIL AGENDO HOMINES MALE AGERE DISCUNT.

---

1 com-putāre *rechnen*

Karl der Große auf einer Münze, dargestellt mit Lorbeerkranz und Reitermantel. Die lateinische Umschrift lautet: KAROLVS IMP(erator) AVG(ustus).

I

Im Lektionstext hast du erfahren, wie Karl der Große seine Kinder erzog; er legte in der Ausbildung Wert auf die studia liberalia, die eines freien Menschen würdigen Studienfächer. Was ist damit gemeint? Zu diesen Studienfächern gehörten seit der Antike: Arithmetik (Lehre von den Zahlen), Geometrie, Astronomie (Himmelskunde), Musik, Grammatik, Dialektik (Kunst der Gesprächs- und Beweisführung) und Rhetorik (Redekunst). In diesen sieben Wissenschaften wurde ein frei geborener junger Römer ausgebildet - man bezeichnete sie auch als septem artes liberales. Im Mittelalter blieben diese Fächer die Basis jeder höheren Bildung; ihr Studium diente als Vorbereitung für verschiedene Fachwissenschaften wie Medizin oder Theologie.

1. Qui-cumque adulescens philosophiae studebat, magistrum idoneum eligebat.
   Qui-cumque (quisquis) philosophiae studebat, magistrum idoneum eligebat.
2. Quo-cumque loco (ubi-cumque) magister idoneus docebat, adulescentes studiosi conveniebant.
3. Longum est omnes philosophos Graecos nominare.
4. Iam pridem vos quoque philosophiae studere oportuit.

Wie lernen Schüler Anstand?

Im folgenden Dialog zeigt uns Erasmus von Rotterdam, wie zu seiner Zeit der „Anstandsunterricht" ablief:

Paedagogus – Puer

Paed.: „Te non in aula, sed in caula[1] natum esse credo, adeo moribus es agrestibus. Ingenuos mores igitur colamus! Quotienscumque sermonem habes cum aliquo, cui debes honorem, te surgere et in loco consistere decet. Aperias caput[2]! Vultus sit nec tristis nec protervus[3], sed hilaris et modestus! Oculos convertas in eum, quocum sermonem habes! Etiam vestis et totus habitus corporis ingenuam modestiam prae se ferat! Praeterea salutes, quamcumque dominam tibi notam vides! Ita te laudabit, quisquis te viderit.
Ne tua sponte multa et inepta dixeris, sed respondeto paucis verbis adiciasque cognomentum[4]! Atque genu[5] flectas, quotienscumque respondisti!
Nunc age, specimen[6] aliquod huius rei nobis praebe! Quantum temporis afuisti a parentum domo?"

Puer: „Iam sex fere menses."

Paed.: „Te animum attendere decuit! Adde: domine!"

Puer: „Iam sex fere menses, domine."

Paed.: „Cupisne eos visere?"

Puer: „Cupio, domine, te concedente."

Paed.: „Te etiam genu flectere oportuit! Ne hoc neglexeris! Sed satis est. Adeamus nunc libros!"

---

1 in aulā *bei Hof, aus höfischen Kreisen;* caula *Schafstall*
2 caput aperīre *die Kopfbedeckung abnehmen*
3 pro-tervus *frech, unverschämt*
4 cōg-nōmentum *Titel, Ehrenbezeichnung* 5 genū, -ūs *n* *Knie*
6 specimen *n* *Beweis, Probe*

a) Welches Stilmittel verwendet der Lehrer in den ersten beiden Sätzen, und welche Wirkung will er damit erzielen? Erschließe mit Hilfe des Stilmittels, wie aula und ingenuus an dieser Stelle zu verstehen sind.

b) Reden ist Silber, Schweigen ist Gold!
1. Potui multa narrare, sed tacui. 2. Iam pridem istam iniuriam copiose tractari oportuit. 3. Quis autem hanc sententiam nescit: Si tacuisses, philosophus mansisses.

c) Antike „Graffiti“ - Wandkritzeleien an einem Haus in Pompeji:
Quisquis amat, valeat! Pereat, qui nescit amare;
bis tanto (zweimal) pereat, quisquis amare vetat!

d) Schreibe aus L diejenigen Konjunktivformen heraus, die keine Aufforderung an die 2. Pers. darstellen, und gib ihre jeweilige Bedeutung an.

e) Kleine Unterschiede – große Wirkung:
pareres – pares – pareas – paras – pars – augemus – audemus – audiamus – audet – auderet – audirem – auderem – audacem – audit – auxit – auxerit – audis – audiris – audiveris

f) Felix behauptet, der folgende Zeitungstext sei für „Lateiner“ leicht zu verstehen. Wie lassen sich die Fremdwörter erklären?
Die neue Komposition sollte nicht zu trist sein, forderte ein Vertreter des städtischen Kulturbeirates bei einer Visite im Dom. Ein moderner Komponist müsse flexibel genug sein, um spontan Konzessionen an sein Publikum zu machen. 'Ich glaube', fuhr er fort, 'ich brauche darüber keinen langen Sermon zu halten!'

g) Zu den folgenden Fremdwörtern kannst du in L die lateinischen Herkunftswörter finden:
Lokal – Moral – Honorar – Kapital – Flexion – Tempo – Addition

I

Erasmus von Rotterdam (1466-1536) war einer der bedeutendsten Vertreter des 'Humanismus', einer geistigen Bewegung, die entsprechend dem antiken Ideal der humanitas eine umfassende Bildung und eine menschenwürdige Lebensgestaltung erstrebte.

In dieser Zeit hatten neben den Universitäten besonders die sog. Lateinschulen entscheidende Bedeutung für die Bildung. Schüler und Studenten erfuhren Latein als lebendige Sprache, die sie verstehen und sprechen (!) mussten.

Um die Lateinkenntnisse der Jugendlichen zu verbessern und ihre Ausdrucksfähigkeit zu fördern, schrieb Erasmus seine colloquia familiaria: Stücke über alltägliche Situationen und Dialoge aus der unmittelbaren Erfahrungswelt der Schüler. Diese Texte zeigen, dass die Lateinschule das ganze Leben bestimmte und der Arm des Lehrers oft bis ins Schülerheim oder in die Privatunterkunft reichte. So wollten die colloquia durchaus auch Einfluss auf das Benehmen und die Lebensführung der Schüler nehmen.

E

1. Nemo ignoret (ignoraverit) liberos interdum magistros effugere velle.
2. Quis non credat liberos semper occasionem ludendi petere?
3. Pueri et puellae saepe deliberant: Quid faciamus, ut magistrum effugiamus?

L

So bekommen wir schulfrei

NICOLAUS – HIERONYMUS – COCLES – PAEDAGOGUS

NIC.: Iam diu et animus et caelum invitant ad ludendum.

HIER.: Hoc nemo neget; magister autem non invitat!

COC.: Quid igitur faciamus?

NIC.: Mittamus aliquem legatum ad magistrum!

HIER.: Vix quisquam impetret, ut nobis ludere permittat; nam citius[1] clavam[2] extorseris[3] e manu Herculis quam ab illo ludendi veniam[4]. Etiam se olim puerum fuisse silentio praeterit.

COC.: Tamen hanc legationem suscipiam veniamque petam!

(Cocles magistrum adit.)

COC.: Salve, magister optime!

PAED.: Insidiosa[5] comitas! Quid sibi vult nugamentum hominis[6]? Te studia exercere decet.

COC.: Totus discipulorum tuorum grex hodie orat ludendi veniam.

PAED.: Vos semper cupidi estis ludendi! Quaecumque dicitis, ad ludos pertinent.

COC.: Cras iterum operam dabimus studendo.

PAED.: Cur me decipere vis? Quis vestrum promittat hoc certe futurum esse?

COC.: Ego capitis mei periculo hoc promittam.

PAED.: Immo culi[7] periculo! – Exeant ergo discipuli e schola ludendi causa!

(Cocles laetus redit.)

COC.: Impetravi, quamvis aegre! Non multum afuit, quin magister verberibus me afficeret.

HIER.: O callidum caput! Praedicemus ingenium tuum! Quis hoc antea crederet? Sed quid illi promisisti?

COC.: Cras summo studio magistrum delectare debemus. Quid aliud promitterem?

NIC.: O miser! Tibi nihil aliud in mentem venisse puto.

---

1 citius … quam *eher … als* 2 clāva *Keule* 3 ex-torquēre (-torsī) *entreißen*
4 venia *hier: Erlaubnis* 5 īnsidi-ōsus *hinterhältig*
6 nūgāmentum hominis *Nichtsnutz* 7 cūlus *der Hintern*

Ü

a) Beschreibe mit eigenen Worten, welches Bild die Schüler in L von ihrem Lehrer haben. An welchen Formulierungen wird deutlich, dass der Dialog nicht ganz ernst gemeint ist?

Mittelalterlicher Unterricht in Logik und Grammatik (Holzschnitt 1479)

b Schreibe alle Konjunktivformen aus L (Z. 3-9) heraus und erkläre jeweils die Verwendung des Konjunktivs.

c Stelle die richtige Zuordnung her:

Iussiv	Hoc faciamus!	Er dürfte/könnte ...
Hortativ	Quid faciam?	Hoffentlich ...!
Potentialis	(Utinam) maneat!	Was soll ...?
Deliberativ	Hoc faciat!	Wenn er doch ...!
Optativ (erfüllbar)	Hoc faciat/fecerit.	Er soll ...!
Optativ (unerfüllbar)	Utinam maneret!	Lasst uns ...!

d Übersetze und bestimme die Bedeutung des Konjunktivs:
1. Ne praeterieritis occasionem linguam Latinam discendi! 2. Pueri ingenium exercendo multa discant/discerent. 3. Inveniamus locum ad ludum idoneum! 4. Utinam puella vocabula (!) didicisset! 5. Cur de isto magistro desperarem? 6. Ne omittas desiderium libros legendi! 7. Vix quisquam putaret vos hunc librum lecturos esse.

e Sentenzen über den Zorn
1. Consilio melius[1] vincas quam ira.
2. Iratum breviter[2] vites, inimicum diu.
3. Maximum irae remedium[3] mora est.
4. Quicumque iram vincit, hostem superat maximum.

f Manche Colloquia des Erasmus wurden von den Schülern auch gespielt. Tragt zunächst das Gespräch in L mit verteilten Rollen sinngerecht vor. Für eine szenische Umsetzung könnt ihr den Dialog auch leicht abändern, z. B. in der Argumentation des Cocles oder in der Reaktion des Lehrers.

---
1 melius *(Adv.)* *besser* 2 breviter *(Adv.)* *kurz* 3 remedium *Heilmittel*

Es singe, wem Gesang gegeben ...

Die lateinische Sprache eignet sich wegen ihrer zahlreichen Vokale besonders gut zum Singen. Deshalb findet ihr hier einige Beispiele von Liedern mit lateinischen Texten; sicherlich hilft euch eure Musiklehrerin/euer Musiklehrer dabei, sie zu singen.

Gaudeamus igitur — C. W. Kindleben

2. Ubi sunt, qui ante nos in mundo fuere?
|: Abeas ad tumulos, : |
si vis hos videre.

3. Vita nostra brevis est, brevi finietur;
|: venit mors velociter, : |
neminem veretur.

2. Wo sind diese, sagt es mir, die vor wenig Jahren
eben also gleich wie wir jung und fröhlich waren?
Ihre Leiber deckt der Sand,
sie sind in ein ander Land
aus dieser Welt gefahren.

3. Unsers Lebens schnelle Flucht leidet keinen Zügel.
und des Schicksals Eifersucht macht ihr stetig Flügel:
Zeit und Jahre fliehn davon,
und vielleichte schnitzt man schon
an unsers Grabes Riegel.

Deutsche Übertragung von Joh. Christian Günther (Leipzig 1717)

Custos, der Wächter

Alter Spruch, in 2 Gruppen zu singen[1] Rich. R. Klein, *1921

[1] 2 Gruppen singen im Wechsel: 1. Gruppe die nach unten gestrichenen, 2. Gruppe die nach oben gestrichenen Noten.

Musica

Kanon zu 3 Stimmen Paul Hindemith, 1895–1963

Sine musica

Karl Marx

E

1. Felix noster cupidus non erat magistrum videndi.
   Felix noster cupidus non erat magistri videndi.
2. Itaque Romae visendae causa „curru nostro communi“ iter in urbem antiquam fecit.
3. In foro autem incidit in nonnullos viros doctos, qui de liberis educandis disputabant.
4. Praedicabant illi prudentiam Quintiliani, qui in libro suo poposcit, ut liberi ad educandum in scholam mitterentur.

L

Die Schule besuchen – sinnvoll oder nicht?

Schon der berühmte Rhetoriklehrer Quintilian hatte in seinem Werk gefordert, Kinder in einer Schule gemeinsam unterrichten zu lassen; wir hören mit, wie drei viri docti auf dem Forum über dieses Thema diskutieren:

Aristides paedagogus: Idem sentio, quod Quintilianus in libro suo exposuit: Aetate puerili[1] homines plurimum memoriae mandant. Itaque liberi, cum serio[2] discere incipiunt, in scholam mitti debent; adeant unum ex his praeceptoribus, qui in foro pueris erudiendis operam dant..

Marcus Claudius senator: Equidem ab hac ratione dissentio et liberos domi institui volo. Praeceptor enim in pluribus discipulis docendis non satis unicuique consulere potest. Praeterea timeo, ne mores puerorum vitiis accipiendis corrumpantur. Etiam maiores nostros domi educavisse liberos proditum est.

Quintus Curtius orator: Sed domi quoque mores corrumpi scimus, nisi bonis moribus provideant parentes. Interdum etiam praeceptor ille domesticus[3] mala exempla praebendo liberis nocet; neque servorum malorum flagitia liberis prosunt.

Aristides paedagogus: Breviter exponam, cur Quintilianus liberos in scholam mitti velit: Pueri in scholam veniant non solum scientiae augendae causa, sed etiam ad sensum communem[4] discendum firmasque amicitias coniungendas! Adde, quod aemulatio[5] discipulorum animos incendit. Quia puer turpe ducet ab altero superari, ad vitandam hanc ignominiam studium quoque discendi augebit.

1 puer-īlis *kindlich, Kindes-* 2 sēriō *(Adv.) ernsthaft* 3 domesticus *häuslich, Haus-*
4 sensus commūnis *Gemeinschaftssinn* 5 aemulātiō *Wetteifer, Rivalität*

Ü

a) Welche Argumente für und wider den Schulbesuch kannst du dem Text entnehmen? Beurteile die angeführten Gesichtspunkte aus deiner Sicht. Welches Argument des Senators wird auch heute gegen den herkömmlichen Unterricht in der Klasse vorgebracht?

b) Stelle aus L alle Verben zusammen, die zum Wortfeld „erziehen“ und „unterrichten“ gehören.

c) Suche aus L zwei Beispiele für ein Gerundium. In welchen Kasus tritt das attributiv verwendete Gerundivum auf?

d) Verwandle Gerundium in Gerundivum und umgekehrt:
vitiis accipiendis - mala exempla praebendo

e) Übersetze:
filii educandi causa – in eligendis praeceptoribus – in puerum instruendum diligentiam adhibere – in ludis spectandis – ad labores ferendos educare – amici adiuvandi causa – locus ad castra facienda aptus – de captivis reddendis agere – ad oppidum oppugnandum

f) Suche die „Irrläufer“:
didici – mitti – confici – superari
adis – dissentis – corrumperis – prodes
corrumpant – provideant – veniant – privant
liberi – nonnulli – figi – discipuli
puerorum erudiendorum – vitiis accipiendis – puellae praesentis – liberos instruendos

g) Häufig können lateinische Substantive von Verben abgeleitet werden, z.B. scientia von scire. Welche Substantive zu den folgenden Verben kennst du?
sentire – consulere – timere – discere – ducere

Quintilian (35-96 n. Chr.), von dem die im Lektionstext angeführten Gedanken stammen, war der erste staatlich besoldete Rhetorik-Professor in Rom. Dieser geht in seinem umfassenden Lehrbuch der Rhetorik (institutio oratoria) nicht nur auf die Rednerausbildung ein, sondern erläutert auch ausführlich, welche pädagogischen Grundsätze von frühester Kindheit an befolgt werden sollten. Seine Vorstellungen wirken ganz modern und schülerfreundlich: Pausen seien wichtiger als eine Überfütterung mit Lehrstoffen; auch die Prügelstrafe sei abzulehnen, da Lernbereitschaft auf Freiwilligkeit und Freude beruhe.

Bildung lohnt sich: ein Schreiber (scrība) *im alten Rom*

1. Stupemus, quod parentes etiam Romae liberos erudiendos tradebant magistris.
2. Felix: „Certe multa sunt laudanda, quae prodiderunt nobis Romani; schola autem non erat servanda!“
3. Romani respondent: „Tamen Quintiliani liber vobis quoque legendus est; nam omni aetate hominibus id studendum est, ut liberi bene educentur.“

So sollten Lehrer sein

Quintilian führt aus, was er von einem guten Lehrer und von den Schülern erwartet:

Praeceptor docendi peritus primo ingenia exploret eorum, quos erudiendos suscepit. Diligenter secum consideret, quomodo tractandus sit[1] uniuscuiusque animus: alii semper monendi sunt, alii imperia graviter ferunt; metus magistri alios continet, alios frangit. Optandum autem est, ut puerum laus excitet atque gloria iuvet.

Magister ipse nec ea, quae emendanda erunt, dissimulet[2] nec sit malignus[3] in reprehendendis discipulorum dictis! Nec opprimat nec reiciat voces puerorum! Libenter respondeat liberis interrogantibus, non interrogantes ultro evocet[4]! Etiam hoc praeceptori videndum est, ut eodem die res diversae a pueris percipi possint; varietas enim ipsa animos reficit.

Parentibus quidem magna adhibenda est cura, ut pueri magistro idoneo instituendi tradantur; magistris enim non solum puerorum scientia est augenda, sed etiam mores colendi.

Discipuli vero monendi sunt, ut praeceptores ament et eis similes esse cupiant. Praeterea intellegant docentium dicta sibi observanda esse! Etiam praeceptore absente magna cum diligentia discant! Memoria semper eis exercenda est, ne minuatur.

---

1 tractandus sit: *dt. Ind.* 2 dis-simulāre *verhehlen, übersehen*
3 malīgnus *böswillig, missgünstig* 4 ē-vocāre *aufrufen*

(a) Welche Anforderungen an einen guten Lehrer stellt Quintilian? Was erwartet er von den Schülern? Überlege, ob aus heutiger Sicht wichtige Gesichtspunkte zu ergänzen sind.

(b) Übersetze:
hoc vobis agendum est – hoc negandum non fuit – ira philosopho deponenda est – iniuria ferenda non est – omnibus leges servandae sunt – hostibus parcendum est – multa sibi emendanda esse magister dicit – mihi occasionem hoc conficiendi omittendam esse non puto

Der magister *(„Meister") wendet sich seinem Schüler zu.*

c Ordne zu und übersetze:
legendum – erudiendos – neglegenda – consulendum – regendam – faciendum
Rei publicae ① est. – Nonnulli Romani filios servis Graecis ② tradiderunt. – Librum amico ③ mitto. – Imperator pontem in flumine ④ curavit. – Cives rem publicam consulibus ⑤ commiserunt. – Magistratibus salus civium ⑥ non est.

d Bestimme:
monituri – monendi – monitis – monentis
emendanda – emendatura – emendata
amici diligendi – amici diligentis – amico diligenti

e Bilde zu den Konjunktivformen von L (Z. 6-10) die entsprechenden Formen des Indikativs.

f AUDIENDUM, DEINDE AUDENDUM (EST).
DE GUSTIBUS[1] NON EST DISPUTANDUM.
QUOD ERAT DEMONSTRANDUM.
NEMO ANTE MORTEM BEATUS DICENDUS EST.
Der Dichter Juvenal meint, es gebe nur einen vernünftigen Wunsch an die Götter:
ORANDUM EST, UT SIT MENS SANA IN CORPORE SANO.
Lerne die drei Sentenzen, die dir am besten gefallen, auswendig.

1 gūstus, -ūs *Geschmack*

Germanien und Britannien

• Das sieht ja aus wie ein richtiger Urwald!
• Tatsächlich. Von Waldsterben keine Spur.

Wir fahren mit unserem Omnibus durch ein Waldgebiet.
Die Bäume stehen bis dicht an die Straße heran, so dass der Bus manchmal von Zweigen gestreift wird.

• Ich hab' irgendwo gelesen, dass ganz Deutschland früher von dichten Wäldern bedeckt war, sogar mit Bären drin.
• Bis die Römer kamen. Die brachten dann 'Kultur' statt 'Natur', und die Germanen waren die Leidtragenden.

FELIX Nun mal langsam! So simpel war es nicht. Die alten Germanen haben sich doch nicht einfach ergeben.

• Ach ja, da war doch Hermann, der Cheruskerfürst! Die Römer nannten ihn aber noch anders. Hat der nicht den Varus überlistet?

FELIX *Super! And think of the Britons! They defended their country, too, before it became a Roman province.*

• Habt ihr das gehört? Englisch kann unser Felix auch.
• Sein 'tiätsch' könnte allerdings noch besser sein.

FELIX *Silence, please! We are now going to visit two Roman provinces, Germany and Britain. I'm sure you know that the German and English languages contain a lot of Latin words.*

Aufgaben

a) Welche historischen Gestalten sind in Deutschland und in anderen Ländern als Freiheits- und Nationalhelden/heldinnen bekannt?

b) Berichte in der Klasse über eines der folgenden Bücher:
H. D. Stöver, Die Akte Varus;
W. Völker, Ein gewisser Arminius.

c) Welche der englischen Wörter, die Felix gebraucht, haben eine lateinische Wurzel?

d) Suche aus einem Geschichtsatlas heraus, welche römischen Provinzen es zur Zeit Cäsars, Augustus' und Hadrians gab.

e) Projekt:
Bereitet Fahrten in eine Römerstadt in eurer Nähe vor, z. B. Köln, Mainz, Regensburg, Aalen. Benutzt dazu die Karte S. 34f.

FEEL X

E

1. Germanos fortiores quam Gallos esse multi Romani putabant. Belgae (Belgier) et Helvetii (Helvetier) proximi erant Germanis.
2. Suebi (Sueben) fortissimi omnium Germanorum fuerunt.
3. Quorum gens maxima fuit; maiorem numerum militum habuit quam ceterae gentes.
4. Plurimis Romanis neque Inferior neque Superior Germania nota erat.

L

Neueste Nachrichten von den alten Germanen

Iam antiquis temporibus complures rerum scriptores res gestas Romanorum memoriae tradebant. Nulli autem clariores erant Gaio Iulio Caesare et Publio Cornelio Tacito. Apud eos legimus plurimis Germanis eundem cultum vitae fuisse. Sed multis rebus dissimiles erant Romanis: Maior pars cibi in agrestibus pomis[1], lacte, carne constabat; varia alebant pecora, quae erant minora pecoribus Romanis. Viri saepe in venationibus[2] erant. Ob eam causam vires ita alebantur, ut Germani validiora maioraque corpora hominibus aliarum nationum haberent. Vix quisquam vitam agrestem studio belli gerendi praeferebat.

Imprimis ii Romani, qui neque Inferiorem neque Superiorem Germaniam cognoverant, maximo timore Germanorum capiebantur; nam Galli, qui saepe cum his convenerant, eos homines fortissimos atque in bellis acerrimos esse praedicabant. Germanis summa laus erat fines circum se[3] sitos vastare.

Mercator Romanus, qui plura longioraque itinera in extremas regiones Germaniae fecerat, Cornelio Tacito narravit Germanos flavam vel rutilam[4] comam[5] et caeruleos[6] oculos habere. Quin etiam affirmavit plurimas puellas Romanis pulchriores esse!

---

1 pōma, -orum *Obst* 2 vēnātiō, -ōnis *Jagd*
3 sē: *gemeint sind die Germanen* 4 rutilus *rötlich* 5 coma *Haar*
6 caeruleus *blau*

Ü

a) 1. Cur Germani fortiores erant quam Galli?
2. Quibus rebus Germani alebantur?

b) Schreibe aus E und L je drei unregelmäßige Komparative und Superlative heraus und gib an, zu welchen Adjektiven bzw. Präpositionen sie gehören.

c) Stelle aus E und L je zwei Beispiele für Elativ, Superlativ, Komparativ mit quam sowie Komparativ mit Ablativus comparationis zusammen.

d Ordne nach Positiv, Komparativ, Superlativ:
extremis – dissimili – minoris – diligentibus – acerrimi – copiosum – obscurius – propinqua – cupidissimorum – peius – inferiorem – patrius – summus – pessimis – periculosius – optimus – minus – acris – acrius – fortioribus – fortibus – meliora – ultimae

e Gib die jeweils fehlende Form an:

①	peiores	pessimi
magnum	②	maximum
pulchra	pulchrior	③
④	minore	minimo
acre	acrius	⑤
⑥	melioris	optimae
multis	⑦	plurimis

f Quis est maximus?
Ordne zu und übersetze:
plures – minor – pulchrior – validiorem – maior – meliores – optima
Sextus et Quintus istam habent controversiam:

S: Ego ① sum quam tu.
Q: Sed soror mea ② est quam tua.
S: Mihi autem sunt duae sorores, et ambae tua ③ sunt.
Q: Sed ④ fratres habeo quam tu.
S: Fratrem meum omnibus tuis fratribus ⑤ esse scio.
Q: Sed pater tuus meo est ⑥.
S: Mihi autem ⑦ mater est. ...

Hoc certamen, ut videtis, sine fine erit.

I

‚Germania' ist die römische Bezeichnung für das von zahlreichen germanischen Stämmen (nationes) bewohnte Gebiet, das von Skandinavien bis zur Donau und von der Weichsel bis zum Rhein reichte. Seit 90 n. Chr. unterschieden die Römer zwei germanische Provinzen: Germania Superior („Obergermanien", mit Mainz und Straßburg) und Germania Inferior („Untergermanien", mit Köln und Bonn). Den weitaus größten Teil des von Germanen bewohnten Gebietes, die sogenannte Germania Magna, von der weite Flächen durch Sümpfe und Wälder bedeckt waren, konnten die Römer nicht erobern.
Die germanischen Völker betrieben vor allem Viehzucht (Schafe, Ziegen, Schweine, Pferde, Rinder), aber auch Handel. So wurden aus Italien Keramik- und Bronzegefäße, Gold- und Silberschmuck sowie Wein eingeführt; ausgeführt wurden landwirtschaftliche Produkte und der in Rom sehr begehrte Bernstein.

Germanischer Bauer im Kapuzenmantel bei der Feldarbeit.
In ihren Händen hielt die Figur wohl die Griffe eines Pfluges.

1. Scriptores quidam narrant peregrinis facillimum aditum (Zugang) ad Germanos fuisse.
2. Nam hospes sacra quaedam res apud eos erat.
3. Itaque homines, qui ad eos veniebant, maxima quadam humanitate excipiebant.
4. Apud Germanos modestia multum, iustitia plus valebat; virtus atque laus belli plurimum valebant.
5. Itaque Germani bello fortissime pugnabant.

Kalt ist's in Germanien

Germani quoniam regiones incolebant, quae ad septentriones[1] spectant, vestibus ad loca frigidissima maxime idoneis tegebantur. Vestimentum omnibus commune erat amictus[2] quidam, divitioribus melior, pauperioribus peior. Itaque divites melius a frigore protectos esse quam pauperes mirum non est. Ii, qui in ulterioribus regionibus (id est ultra Rhenum vel Danuvium) habitabant, etiam ferarum[3] pellibus vestiti erant. Quod iis magis necessarium erat quam aliis, qui loca citeriora[4] incolebant.

Feminis atque viris idem habitus erat; feminae autem saepius velabantur lineis[5] amictibus, quorum exteriores partes purpura[6] ornatae erant. Refert Cornelius Tacitus in libro quodam, qui est de moribus Germanorum, filias filiosque humillimorum cum nobilissimis inter eadem pecora, in eadem humo lusisse, donec aetas ingenuos a servis, superiores ab inferioribus divideret. Numerum liberorum finire vel maximum flagitium habebatur. Quanto maior numerus propinquorum, tanto gratior senectus erat.

---

1 septentriōnēs *(Pl.) Norden* 2 amictus, -ūs *m Mantel*
3 ferae ~ ferae bēstiae 4 citerior, -ōris *diesseitig* 5 līneus *aus Leinen*
6 purpura *Purpur*

a) Wodurch unterschied sich die Kleidung der Germanen von der der Römer?

b) In E 3 wird das Wort humanitas verwendet. Wie hast du es im Zusammenhang übersetzt? Informiere dich in einem Wörterbuch über alle Bedeutungen dieses Wortes. Was verstehen wir heute unter „Humanität“, was unter „Humanismus“?

c) Ordne zu und übersetze:

turpius – maximos – maxime necessaria – plurimi – superiores – aptissimos – melioribus – minores

Mercatura[1] Germanis res ① erat, quod ea, quae bello ceperant, ② rebus mutare volebant. Sed equos importare in animo non habebant, quamquam eorum equi ③ erant quam equi Romanorum. Ad proelia enim non ④ equos eligebant, sed ⑤. Nam ⑥ equites ex equis desiliebant et pedibus pugnabant. Nihil apud eos ⑦ habebatur quam usus ephippiorum[2]. Itaque se Romanis ⑧ esse credebant.

Germanisches Gehöft. Illustration in einer Tacitus-Ausgabe aus dem 19. Jh.

d Übersetze und bestimme die Pronomina:
ars aliqua – artem quandam – si qua arte – huius ipsius artis exemplum – eiusdem artis opus – illi arti, quae omnium optima est

e 1. Quem librum Ciceronis legisti? 2. Lege librum aliquem Ciceronis! 3. Quidam Ciceronem virum ad dicendum maxime idoneum fuisse putant. 4. Si quem librum Ciceronis leges, mira quadam varietate verborum gaudebis. 5. In oratione quadam Cicero coniurationem Catilinae exposuit; vix quisquam illam orationem nescit. 6. Cicero quosdam comites Catilinae supplicio afficiendos esse iudicavit.

f Nenne zu den folgenden englischen, französischen und spanischen Wörtern jeweils das lateinische Wort, von dem sie abstammen, und das entsprechende deutsche Fremdwort:

discipline	discipline	disciplina	occupy	occuper	ocupar
person	personne	persona	minimal	minime	minimo
nature	nature	naturaleza	appeal	appeler	apelar
humanity	humanité	humanidad	saint	saint	san

1 mercātūra *Handel* 2 ephippium *Sattel*

Toga und Kapuzenmantel

In itinere, quod per aetates facimus, currus noster communis Mogontiacum[1], in caput Germaniae Superioris, pervenit et prope forum illius oppidi constitit. Annus est p. Chr. n. centesimus decimus[2].

Dum pedibus per vias imus, strepitum fabrorum, clamores venditorum[3] atque emptorum[4], interdum gannitum[5] canum audimus. Nam in foro sunt frequentes cives hoc tempore.

Rinoldus quidam, mercator rerum textilium[6], ante tabernam suam stat, velut emptores[4] exspectans. Felix, socius itineris nostri, statim ad eum adit et Latine dicit: „Salve, domine! Quid agis? Et quid de mercaturis[7] dicis?" Rinoldus Latine resalutat[8]: „Optime! Gratias tibi ago, quod quaeris!" Et comiter pergit: „Mercaturae numquam meliores fuerunt."

Nos brevi tempore ad eum convenimus, cupidi omnia audiendi. „E gente Chattorum[9] sum", inquit Rinoldus, „et postquam viginti annos in exercitu Romano militavi[10], duodecim milia sestertium[11] accepi. Ea pecunia paulo post hanc tabernam aperui." Tum Felix interrogat: „Bellumne tandem confectum est?" „Ita est. Germani Gallique nunc in pace cum Romanis vivunt. Omnibus liberis facultas linguam Latinam discendi data est. Domus nostrae secundum Romana exempla aedificantur, sicut mea, quae hypocausto[12] et parvo balneo[13] instructa est."

Tum Felix: „Quomodo res divinae se habent?" Ille: „Quod pertinet ad religionem", inquit, „Romani nullo modo nobis obstant. Sed quamquam Germanus sum, Mercurium praecipue colo, quia patronus mercatorum est. Cuius parvam statuam – eximia pulchritudine[14] est – in ara iuxta penates posui."

1 Mōgontiacum: *heute Mainz* 2 centēsimus decimus *der einhundertzehnte*
3 venditor: *zu* vendere 4 ēmptor: *zu* ēmere 5 gannitus *Gebell, Gekläff*
6 rēs textiles *Stoffe, Textilien* 7 mercātūrae, -ārum *Geschäfte, Handel*
8 re-salūtāre 9 Chattī: *germanisches Volk (v.a. in Hessen)* 10 mīlitāre *Kriegsdienst leisten* 11 sēstertius (*Gen. Pl.* sēstertium) Sesterz *(röm. Messingmünze)*
12 hypocaustum *(Fußboden-)Heizung* 13 balneum *Badezimmer* 14 pulchri-tūdō

Felix: „Et materiam[15]", inquit, „ubi reperis?" Ad quod Rinoldus: „Lana[16], quam magno sumptu e Gallia Cisalpina importo, hic texitur[17]. Sed picturae textiles[18] Romae factae sunt. Hoc modo semper novissimas res emptoribus offerre possum. Multi Romani Germanique, et mulieres et viri, merces meas magni aestimant." Felix quaerit: „Quae res saepissime veneunt?" Cui ille: „Scitisne multos veteranos Romanos his locis virgines Germanas cognovisse et in matrimonium duxisse? Ii Romani caelo Germanico, quod est salubre, sed Italico frigidius, paulatim assueti[19] nunc in Germania Superiore iucundam vitam agunt. Hieme multos dies tantis frigoribus[20] vexamur, ut homines crassiora vestimenta quam togas cupiant. Qua de causa in taberna offero magnum numerum paenularum[21], quarum aliae summa elegantia[22], aliae simplicius factae sunt. Nonne intrare et circumspicere[23] vultis?"

15 māteria *Material, Stoff* 16 lāna *Wolle* 17 texere *weben*
18 pictūra textilis *Stoffmuster* 19 assuētus *(m. Dat.) gewöhnt an*
20 frīgora *(Pl.) kaltes Wetter* 21 paenula *Mantel mit Kapuze*
22 ēlegantia *Eleganz* 23 circum-spicere *sich umschauen*

a 1. Quo in oppido currus noster communis constitit? 2. Quibus rebus domus Germanorum instructae sunt? 3. Cur Rinoldus in taberna semper novas res offerre potest? 4. Qualia vestimenta homines hieme cupiunt?

b 1. Welche Veränderungen hat nach Auffassung des Tuchhändlers Rinoldus die Romanisierung für die Bevölkerung in Germanien mit sich gebracht?
2. Der Kaufmann erwähnt „Mercurius" und „penates". Was kannst du daraus schließen, wenn du bedenkst, dass er Germane ist?

c Sortiere nach grammatikalischen Formen. Du findest je fünf Infinitive, Gerundformen, Partizipien, Adjektive im Komparativ und Adverbien. Lege dazu in deinem Heft Tabellen an:

diligenter	crudelior	concessurus	simpliciter	addendo
consuli	opprimi	acriori	petentem	humillime
ferre	meliores	sedisse	augendum	victuri
consulta	latum	pauperiorem	addi	pulchre
audacter	contemnendi	imponendo	peius	vivendi

d Kläre die Satzgliedfunktion und die Bedeutung der folgenden Kasus in L: Mogontiacum (Z. 2) – pedibus (Z. 6) – hoc tempore (Z. 10f.) – viginti annos (Z. 19) – ea pecunia (Z. 20) – in pace (Z. 22) – hypocausto (Z. 24) – nullo modo (Z. 27) – eximia pulchritudine (Z. 29) – magno sumptu (Z. 31) – Romae (Z. 32) – his locis (Z. 35) – (caelo) Italico (Z. 36) – multos dies (Z. 38) – frigoribus (Z. 38) – summa elegantia (Z. 40)

e Stelle aus L alle Wörter zum Sachfeld „kaufen/verkaufen" zusammen.

L2

„Wir haben keine Lehrer!"

Der Schriftsteller Plinius möchte lieber Lehrer in seiner Heimatstadt Como engagieren als die Kinder zur Ausbildung in eine entfernte Stadt schicken.

Nuper cum in patria mea fui, venit ad me salutandum amici cuiusdam filius. Hunc ego rogo: „Studesne?" Respondit: „Sic est." – „Ubi?" – „Mediolani[1]." – „Cur non hic? Cur domo abisti?" Et pater, qui ipse puerum adduxerat: „Quia nullos hic praeceptores habemus. Quid facerem?" – „Quare nullos? Aequum est liberos vestros hic potius discere quam alibi. Ubi enim aut iucundius viverent quam in patria aut melius educarentur quam sub oculis parentum aut minore sumptu quam domi? Melius est pecuniam conferre, praeceptores conducere[2] et, quaecumque nunc in domicilia longinqua et in viatica[3] impenditis, adicere his praemiis, quae praeceptores exigunt!

Ego certe, qui nondum liberos habeo, paratus sum pro patria nostra – quasi pro filia vel pro matre – dare tertiam partem eius, quod vos conferetis. Proinde diligenter disserite id, quod vobis proposui. Cupio id quam plurimum esse, quod conferre debeo. Nihil honestius liberis vestris praestetis, nihil gratius patriae. Quicumque hic nati sunt, hic magistris educandi tradantur; statim a die natali[4] solum patrium ament! Utinam quam optimos praeceptores afferatis, ut ad finitima oppida hinc studia transferantur et mox permulti liberi in nostrum oppidum contendant discendi causa!"

1 Mediōlānī *in Mailand* 2 conducere *hier: anwerben*
3 viāticum *Wegegeld* 4 nātālis, e *Geburts-*

I

Eine offizielle Anmeldung der neugeborenen Kinder bei einer kirchlichen oder weltlichen Behörde war in Rom bis ins 2. Jahrhundert n. Chr. nicht üblich. Erst Kaiser Marc Aurel (161-180) führte amtliche Geburtslisten ein, um Herkunft und Alter festzuhalten. Die Grundschulen im antiken Rom waren gemischte Schulen; Jungen und Mädchen lernten auf denselben Bänken und nach den gleichen Erziehungsmethoden lesen und schreiben.

Wir wissen z. B., dass ein etwa 12-jähriges Mädchen namens Virginia um 450 v. Chr. am Unterricht in der Schule neben dem Forum teilnahm. Die Mädchen schlossen allerdings ihre Studien früher ab als die Jungen, da sie keine Ausbildung zum Redner erhielten, also nicht die Schule des Rhetors besuchten. Adlige Mädchen erhielten zu Hause Privatunterricht, indem man Klassen bildete, zu denen auch die Mädchen der verwandten oder befreundeten Familien gehörten. Ihre Lehrer waren meist Griechen. Sie befassten sich mit der lateinischen und griechischen Literatur, mit Dichtung, Musik und z. T. auch mit Philosophie. Eine offizielle Berufsausbildung für junge Mädchen gab es jedoch nicht.

Mädchen mit Griffel. Wandgemälde aus Pompeji

Ü

a) Welche vier Formen können verallgemeinernde Relativpronomina sein? Übersetze die anderen Wörter bzw. Wortformen:
quidam – quicumque – quae – alicui – quisquis – cuique – quidem – quibus – cuiusdam – quo – quoque – quoniam – quorum – quondam – quoquo (modo) – quacumque

b) Schadenfreude! Welcher der folgenden Sätze enthält einen Imperativ, Prohibitiv, Potentialis, Deliberativ, Realis oder Optativ?
1. Desiste me illudere! 2. Quid facerem? 3. Paene cecidi, quia istum lapidem non vidi. 4. Utinam istum lapidem vidissem! Nunc pes dolet. 5. Ne me illuseris! Tibi idem accidere poterit. 6. Fortuna tibi non semper faveat.

c) Ersetze quam mit Substantiv durch einen Ablativ des Vergleichs und übersetze:
1. Nihil utilius est quam sol. 2. Nihil celerius est quam rumor. 3. Nihil est peius quam bellum civile. 4. Facta difficiliora sunt quam verba. 5. Nihil est gravius in publicis rebus quam lex. 6. Certe nihil potest esse dulcius quam libertas. 7. Deus nobis nihil melius dedit quam rationem et orationem. 8. Quem magis amatis atque diligitis quam parentes?

d) Quintus iram magistri excitare numquam dubitaverit. Sextum monet: „Birotam[1] magistri ex aula a-moveamus! Eat pedibus paedagogus!" Sextus: „Sed ubi birotam deponamus?" Quintus respondet: „Intra scholam ipsam birotam non quaerat. Ne quid enuntiaveris[2]!"
Bilde selbst einen einfachen lateinischen Satz, der den Wunsch des Lehrers ausdrückt, sein Fahrrad wiederzufinden.

1 birota *Fahrrad* 2 ē-nūntiāre *verraten*

COL. ULPIA TRAIANA
Xanten
GERMANIA
INFERIOR
Rhenus
NOVAESIUM
Neuss
COL. CLAUDIA
ARA AGRIPPINENSIS
Köln
BONNA
Bonn
AQUAE
Aachen
CONFLUENTES
Koblenz
Legionslager
Römisches Kastell
Römische Siedlung
Limes
Rhenus
Frankfurt
MOGONTIACUM
Mainz
AUGUSTA TREVERORUM
Trier
BORBETOMAGUS
Worms
Ludwigshafen
Mosella
Schwarzenacker
NOVIOMAGUS
Speyer
Saarbrücken
GALLIA
BELGICA
AQUAE
Baden-Baden
ARGENTORATUM
Straßburg
SUPERIOR
DEUTSCHLAND
ZUR RÖMERZEIT
GERMANIA
Rhenus
0
25
50
km
BASILIA
Basel
COL. AUG. RAURICORUM
Augst

Römische Funde in deutschen Museen (Auswahl)

Aalen Limesmuseum
Augsburg Römisches Museum
Bad Homburg Saalburgmuseum und Saalburgkastell
Berlin Antikenmuseum
Bonn Rheinisches Landesmuseum
Eichstätt Juramuseum Willibaldsburg
Haltern Römisch-Germanisches Museum
Hildesheim Roemer-Pelizaeus Museum
Karlsruhe Badisches Landesmuseum
Kempten Römische Sammlung Cambodunum im Zumsteinhaus
Köln Römisch-Germanisches Museum
Mainz Römisch-Germanisches Zentralmuseum
München Prähistorische Staatssammlung
Nennig Römische Villa
Neuwied Kreismuseum
Regensburg Stadtmuseum
Remagen Römisch-Fränkisches Heimatmuseum
Rottweil Stadtmuseum
Speyer Historisches Museum der Pfalz
Straubing Gäubodenmuseum
Trier Rheinisches Landesmuseum
Weißenburg i. B. Heimatmuseum und Thermenanlage
Xanten Regionalmuseum und Archäologischer Park

E

1. Caesar legiones in portum (Hafen) coegit.
2. Caesar legiones in portum cogi iussit.
3. Nam in Britanniam proficisci voluit; Britanni enim saepe Gallis auxiliati erant.
4. Milites arma et cibos curribus in portum vehebant; Caesar equo vectus est.

L

Der Sprung in den Kanal

Cäsar war der erste römische Feldherr, der eine größere Expedition nach Britannien durchgeführt hat. Er unternahm sie im Jahre 55 v. Chr. von Gallien aus.

Caesar unam legionem in Gallia reliquit, ut litora portusque tueretur. Ubi idoneam ad navigandum tempestatem nactus est, cum reliquis copiis et equitatu vectus est in Britanniam. Postridie Britannia in conspectum[1] Romanorum venit. Ut Caesar suspicatus erat, Britanni locis superioribus prope litus copias armatas constituerant.

Romani cum apertum[2] ac planum litus invenissent, naves ad hunc locum appulerunt[3]. Britanni autem consilio Romanorum cognito eos impedire conabantur, ne navibus egrederentur.

Caesar cum milites suos cunctari videret, eos magna voce hortatus est. Tandem aquilifer[4] decimae legionis, postquam deos obtestatus[5] est, clamavit: „Desilite, commilitones[6], nisi aquilam hostibus prodere vultis!" Quibus verbis dictis se e nave proiecit[7] atque aquilam in hostes ferre coepit. Cum ignominiam pati nollent, etiam milites inter se hortati sunt, ut universi e navibus desilirent et aquiliferum sequerentur.

1 cōn-spectus *Blickfeld* 2 apertus *(Adj.): zu* aperīre
3 nāves ap-pellere ad *landen an* 4 aquili-fer *Adlerträger*
5 ob-tēstārī *bitten, beschwören* 6 com-mīlitō *Kamerad*
7 sē prō-icere *hier: sich stürzen*

Ü

a) 1. Welches consilium Romanorum ist in Z. 7 gemeint?
2. Welche Personen bzw. Truppen auf römischer Seite werden besonders hervorgehoben?

b) In L werden Zeitverhältnisse durch Adverbien, temporale Gliedsätze und Ablativi absoluti ausgedrückt. Erstelle eine Liste mit den entsprechenden Wörtern bzw. Ausdrücken.

c) Bestimme und gib jeweils den Inf. Präs. Akt. an:
latum est – ornatus – profecti erant – constituta sunt – reficiantur – sequamur – tuemini – provisum est – suspicati sunt – abditur – nactus essem – offerretur – invitamur – dilecti sunt – perspiciebatur

(d) Ordne die Verbformen aus 1) und 2) zu Paaren mit ähnlicher Bedeutung:
1. arbitraris – avecti sunt – auxiliata es – tueamur – conarer – cunctantur – obtestamini – nactus esset – patiemur – hortati eratis
2. temptarem – abierunt – imploratis – feremus – monueratis – putas – dubitant – affuisti – invenisset – defendamus

(e) Bei einem Satzanfang mit cum sind viele Fortsetzungen möglich:
Caesar cum reliquis copiis
1. ? in insulam vectus est. 2. ? relictis profectus esset, nuntius ab hostibus venit. 3. ? hoc imperavisset, ad castra rediit.

(f) 1. Caesar cum in ignotas terras proficiscebatur, omnia diligenter parabat. 2. Gn. Pompeio et M. Crasso consulibus Caesar in Britanniam nave vectus est, cum illam insulam cognoscere vellet. 3. Caesar Britannos nullum periculum suspicari arbitrabatur, cum subito ubique copiae armatae visae sunt. 4. Cum Romani in terram exirent, Britanni eos ab insula prohibere non potuerunt.

(g) Ein Rat für den Redner:
REM TENE, VERBA SEQUENTUR.

I

Am Beispiel Britanniens können wir besonders deutlich erkennen, wie die Römer ein Gebiet in Besitz genommen und zu einer provincia gemacht haben. Dieser Vorgang lief folgendermaßen ab:

- Invasion und Sieg über einheimische Stämme
- Straßenbau, zuerst für militärische Zwecke
- Gründung von Kastellen (Festungen) für die Legionen
- Einführung römischer Verwaltung und der lateinischen Sprache; dadurch wurde das eroberte Gebiet provincia
- Bekanntmachen mit römischen Lebensformen
- Ausbau der Festungsorte
- Ansiedlung von Römern und anderen Einwohnern (und daraus folgende Vermischung mit Einheimischen)
- Bau eines Grenzwalls (limes) und dessen Instandhaltung und Bewachung
- Verleihung des römischen Bürgerrechts an alle frei geborenen Provinzbewohner (212 n. Chr. durch Kaiser Caracalla).

Zumindest seit Cäsars Britannienexpeditionen (55 und 54 v. Chr.) wussten die Römer, wie reich Britannien an Bodenschätzen und wie wichtig eine Sicherung des Reiches im Nordwesten Europas war. Trotzdem unternahm erst etwa hundert Jahre nach Cäsar der Kaiser Claudius eine groß angelegte Invasion Britanniens. Südengland wurde verhältnismäßig rasch erobert und als Provinz Britannia organisiert.

Als im Jahre 61 n. Chr. ein gewisser Paulinus Suetonius Statthalter (legatus) von Britannien war, hatten sich bereits römische Veteranen in einer landschaftlich schön gelegenen colonia angesiedelt ...

1. Scimus Romanos etiam in Britanniam profectos esse.
2. Ibi multis regionibus potiti sunt.
3. Mox Britanni leges Romanorum secuti cum veteranis hostium in pace vivebant.
4. Multi homines sperabant se pace quam longissima fruituros esse.

Boudicca wehrt sich gegen die Römer

Suetonio legato aliquando in Mona insula[1] morante complures milites Romani hac occasione usi sunt: in fines Icenorum[2] invaserunt.
Paulo post legatus comperit illos etiam Venta, capite Icenorum, potitos esse.
Eo tempore Boudicca regina Icenorum erat. Cum multi homines iniurias a Romanis acceptas quererentur, regina gentem suam ita incitavit: „Ulciscamur Romanos pro illis facinoribus! Aggrediamur veteranos, qui in oppido Camuloduno[3] habitant!“ Quam rem facillimam esse arbitrata est, cum illi veterani nullas insidias suspicarentur. Quasi media in pace inopinantes[4] multitudine barbarorum circumventi sunt.
Hac rebellione[5] nuntiata Suetonius legatus veteranis auxiliari voluit. Haud moratus a Mona insula cum legione proficiscitur et magnis itineribus ad suos pervenit. Ibi insidias hostium veritus locum castris summa diligentia deligit.
Adventu Romanorum Britanni non perterriti sunt, sed laetabantur[6]. Tantam enim fiduciam victoriae habebant, ut coniuges velut testes victoriae viros proelium ingredientes comitarentur.
Vix Suetonius aciem instruxerat, cum Boudicca acutum ululatum[7] tollens curru in campum prope castra Romanorum situm vehitur. Omnes Britanni magna celeritate[8] reginam sequuntur. Hoc impetu facto dux Romanus milites suos hortatur: „Spero vos hodie officiis vestris bene functuros esse. Ne cunctati sitis! Sequimini me!“ Haec verba locutus equum incitat et in hostes progreditur.

Die gut trainierten und disziplinierten römischen Legionssoldaten und Reiter besiegten die Kelten in dieser für die Geschichte Britanniens wichtigen Schlacht. Beide Seiten erlitten allerdings hohe Verluste: es fielen etwa 800 Britannier und 400 Römer. Und die Königin? Boudicca vitam veneno finivit, heißt es bei Tacitus lakonisch.

---

1 Mona īnsula: *heute Anglesey (an der Nordwestküste von Wales)*
2 Icenī, -ōrum: *keltisches Volk im östl. Teil des röm. besetzten Britanniens*
3 Camulodūnum: *heute Colchester* 4 in-opīnāns *ahnungslos*
5 re-belliō, -ōnis *f*: *vgl. Fw.* 6 laetāri *sich freuen*
7 acūtus ululātus *gellendes Kriegsgeschrei* 8 celer-itās

Ü

a) Verschaffe dir einen ersten Überblick über die Vorgänge, indem du feststellst, wer jeweils in den einzelnen Abschnitten Subjekt ist und was diese Personen unternehmen.

b) Wie beurteilst du das Verhalten der Königin Boudicca und die Reaktion der Römer?

c) Sammle in den Zeilen 10-12 und 16-20 von L alle Verbformen im historischen Präsens. Welche Wirkung wird beim Leser erreicht?
Wodurch wird dieser Eindruck im letzten Absatz noch verstärkt?

d) Stelle aus E und L die Partizipien und die Infinitive zusammen und ordne sie nach dem Zeitverhältnis (gleich-, vor-, nachzeitig) in drei Gruppen.

e) 1. Legatus in Mona insula morans de rebellione[1] certior factus est. 2. Regina facinoribus Romanorum irata veteranos aggressa est. 3. Britanni ululatum[2] tollentes eam secuti sunt. 4. Acie instructa legatus haud moratus hostes invasit.

f) Ordne zu und übersetze:

1. Caelum Germaniae	a) utaris.
2. Longa pace	b) milites Romani querebantur.
3. Erga[3] peregrinos humanitate	c) bene fungamini.
4. Pro iniuriis acceptis inimicos	d) ne ulti sitis!
5. Officiis vestris semper	e) nos fruituros esse speramus.

g) Suche den jeweiligen „Irrläufer“:
querens – sapiens – clemens – frequens
locutus – diversus – aggressus – comitatus
vehere – concipere – sequere – reficere
dolore afficimur – officio fungimur – consilio utimur – pace fruimur

h) Aus dem Lateinischen stammen auch viele englische Städtenamen. Ordne die lateinischen Bezeichnungen castra – vicus (Dorf) – portus – castellum (kleines Lager) – colonia (vgl. Fw.) den folgenden Städtenamen zu:
Greenwich – Winchester – Newport – Lincoln – Portsmouth – Newcastle – Norwich – Southport – Chesterfield – Ipswich – Manchester

1 re-bellio: *vgl. Fw.*
2 ululatus *Kriegsgeschrei*
3 erga *(m. Akk.) gegenüber*

Bernsteinschmuck einer keltischen Dame

1. Imperator Hadrianus locutus est: „Romanis fines imperii tuendi sunt. Sed novae regiones nobis aggrediendae non sunt."
2. Qua de causa Hadrianus in provincias profectus est ad limites (Grenzen) intuendos.

Der Kaiser sichert die Grenzen des Reiches

In der Folgezeit rückten die Römer immer weiter in den Norden Britanniens vor und drangen unter dem Statthalter Gnaeus Iulius Agricola im Jahre 84 n. Chr. sogar in Schottland (Caledonia) ein. Im 2. Jahrhundert n. Chr. regierte dann etwa zwanzig Jahre lang ein Herrscher, der das Imperium Romanum durch zahlreiche Reformen festigte und dem daran gelegen war, Frieden an den Reichsgrenzen zu haben: Kaiser Hadrian.

Duces Romani in Britannia magnam laudem adepti erant. Complures colonias, imprimis veteranorum, eo deduxerant[1], velut Londinium[2] et Camulodunum[3]. Quod oppidum Britanni inter rebellionem[4] Boudiccae aggressi erant, ut supra demonstravimus. Multae viae fossaeque[5] incolis facultatem equis vel navibus vehendi dabant. Praeterea Romani passim vagando multa loca invenerant, in quibus non modo ferrum et plumbum[6], sed etiam argentum et aurum nascebantur.

Imperator Hadrianus arbitrabatur eas regiones, quae ad septentriones[7] sitae sunt, a barbaris tutas non esse. Agger enim ille vetus, qui ante multos annos exstructus erat, ad fines tuendos parum firmus esse videbatur. Quare limitem alto muro muniri iussit. Quo muro multisque praesidiis barbaros a finibus transgrediendis[8] prohibere voluit.

Atque ita factum est. Intra quinque annos longissimus murus, qui nomen ab imperatore ipso trahit atque 'vallum Hadriani' nominatur, per illam partem Britanniae ducebatur.

1 colōnias dē-dūcere *Kolonien gründen* 2 Londinium: *heute London*
3 Camulodūnum: *heute Colchester* 4 re-belliō: *vgl. Fw.* 5 fossa *Kanal*
6 plumbum *Blei* 7 septentriōnes *(Pl.) Norden* 8 trāns-gredi *überschreiten*

Ü

ⓐ Welche Vorteile hatten die Britannier von der römischen Herrschaft?

ⓑ Weshalb sind Bauten wie der Hadrianswall immer zugleich Zeichen von Stärke und Schwäche eines Reiches?

ⓒ Ordne zu und übersetze:
ei – vita – oppido – animos militum – in proelium
Imperator dicit: „①, qua fruimur, brevis est. Gloria autem sempiterna est." Pluribus verbis ② utendum non fuit. Ita ③ hortatus signum dedit. – Mox milites ④ potientur. – Mulieres Britannos ⑤ secutae sunt.

I

Was wurde aus dem Hadrianswall?

Zwar kam es auch nach dem Bau dieser Mauer noch häufig zu Gefechten, weil die Britannier immer dann angriffen, wenn sie wussten, dass die Besatzung entweder anderweitig beschäftigt oder nicht vollständig war. Im Grunde jedoch bewährte sich die Mauer fast 250 Jahre lang als wirksame Begrenzung der Provinz nach Norden.

Es ist deshalb überraschend, dass sich schon im Jahre 140, also ziemlich kurze Zeit nach Fertigstellung, Kaiser Antoninus Pius entschloss, die Grenze noch weiter nach Norden zu verlegen und in Südschottland einen Erdwall aufschütten zu lassen. Die dort wohnenden Britannier waren aber so kriegerisch, dass die Römer sich bald wieder auf die Höhe des 'Hadrian's Wall' (wie es auf englisch heißt) zurückziehen mussten.

Schließlich wurde diese Mauer 367 n. Chr., als die Sachsen und Iren einfielen, überrannt und zerstört.

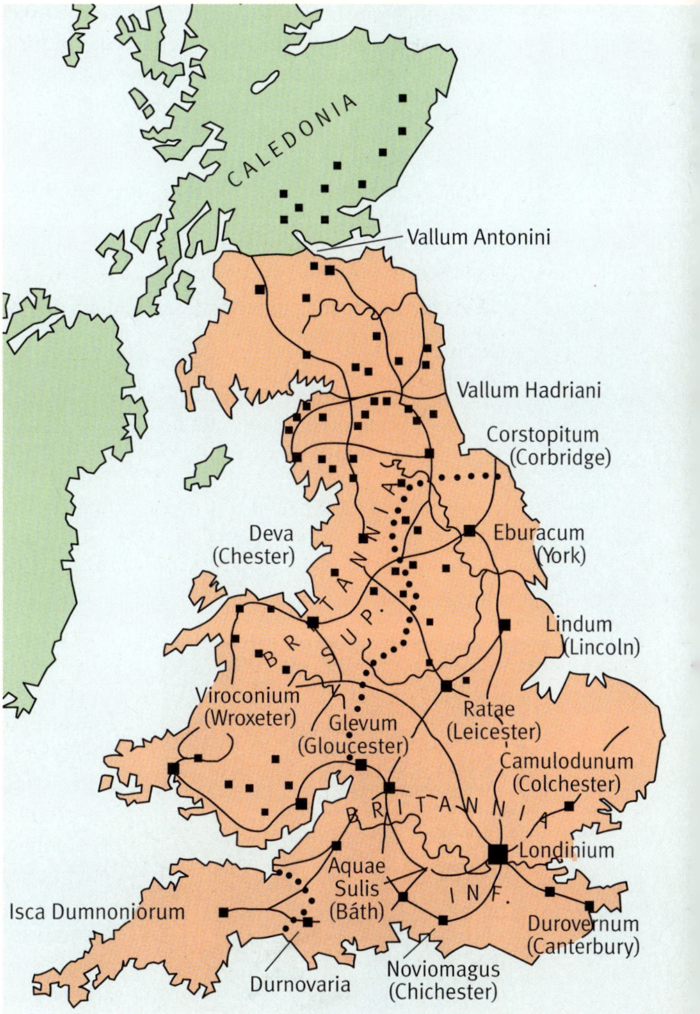

Christentum und Kirche

„Sein Latein ist schauderhaft!"

Nach unserem Aufenthalt im Nordwesten des römischen Reiches sind wir wieder in die ehemalige Provinz 'Germania Superior' zurückgekehrt. Unser Omnibus hält in einer Stadt, welche die Römer 'Augusta Treverorum' nannten; heute heißt sie einfach 'Trier'.
Als wir aussteigen, sehen wir ganz in der Nähe ein riesiges Gebäude mit einer doppelten Reihe hoher Fenster. Und wer steht bereits davor und wartet auf uns? Felix natürlich!

- Er macht schon wieder so ein verschmitztes Gesicht.
- Mal sehen, welche Sprache er heute spricht.

FELIX Salvete, amicae et amici! Haec est magna aula Constantini Caesaris.

- Aha, heute wird Latein gesprochen.
- Aber wieso hatte der Kaiser Konstantin eine 'Magna Aula' gerade in Trier?

FELIX Equidem nescio. Sed illum monachum consulere possumus.

- Was hat er gesagt?
- Ich glaube, er will den Mönch fragen, der da hinten steht.

Felix hat den Mönch angesprochen und ihn überredet, uns einige Auskünfte zu geben.

FELIX Unter uns gesagt: Das Latein, das der gute Mann spricht, ist ziemlich schauderhaft. Bei Orbilius 'Plagosus' würde es ihm schlecht ergehen! Jedenfalls werde ich euch alles übersetzen, was ich verstanden habe.

Wir erfahren, dass der römische Kaiser Konstantin der Große (285-337) in Trier residierte. Dort ließ er einige großartige Bauwerke errichten, darunter auch den riesigen Bau, vor dem wir stehen. Er heißt 'Palast-Aula' oder 'Basilika'.
Konstantin war der erste römische Kaiser, der Christ wurde.

'Post mortem Constantini Caesaris basilica magna ecclesia facta est, magna ecclesia!' ruft der Mönch uns zum Schluss noch zu.

Aufgaben

a) Schlage in einem großen Lexikon nach und versuche folgende Fragen zu beantworten:
1. Was bedeuten die Begriffe 'Basilika' und 'Ecclesia' ?
2. Wozu sind Basiliken im Laufe der Jahrhunderte genutzt worden?
3. Wieso werden Basiliken häufig als Beispiel für die Verbindung von Antike und Christentum angeführt?

b) Welche wichtige Rolle spielte Konstantin der Große für das Christentum in Europa? Halte ein kurzes Referat.

c) Projekt:
Sammelt Material darüber, wie die lateinische Sprache in der christlichen Kirche weitergelebt hat, z. B. in Inschriften, Gebeten, Liedern, Büchern und in sprachlichen Elementen der Liturgie. Veranstaltet dazu nach Möglichkeit eine kleine Ausstellung, eventuell in Form einer Collage. Fragt auch euren Religionslehrer.

Der verlorene Sohn

Die folgende Passage ist weitgehend unverändert der lateinischen Bibelübersetzung „Vulgata“ entnommen; Jesus erzählt das Gleichnis vom verlorenen Sohn:

Rückkehr des verlorenen Sohnes (Gemälde von Leonello Spada, 1576-1622)

Homo quidam habuit duos filios; et dixit adolescentior[1] ex illis patri: „Pater, da mihi partem substantiae[2], quae me contingit[3]!“ Et divisit illis substantiam.

Et non post multos dies adolescentior filius profectus est in regionem longinquam; et ibi dissipavit substantiam suam vivendo luxuriose. Et postquam omnia consumpsit, facta est fames in regione illa, et ipse coepit egere. Et abiit, et porcos[4] cuiusdam civis regionis illius pavit. Et cupiebat implere ventrem suum de siliquis[5], quas porci manducabant[6], sed nemo illi dabat.

Secum autem deliberavit: „Quanti mercenarii[7] in domo patris mei abundant panibus; ego autem hic fame pereo! Surgam et ibo ad patrem meum et dicam ei: Pater, peccavi; iam non sum dignus vocari filius tuus; fac me sicut unum de mercenariis tuis!“

Pater autem, cum illum videret, misericordia motus est et cecidit super collum eius et osculatus est[8] eum. Dixitque ei filius: „Pater, peccavi; iam non sum dignus vocari filius tuus!“ Dixit autem pater ad servos suos: „Cito ferte vestem optimam et induite illum, et date anulum[9] in manum eius! Et adducite vitulum saginatum[10] et occidite! Et manducemus et epulemur, quia hic filius meus mortuus erat et revixit[11]; perierat, et inventus est!“ Et coeperunt epulari.

Filius autem senior indignatus dixit patri suo: „Ecce, tot annis servio tibi et numquam mandatum tuum praeterii; et numquam dedisti mihi haedum[12], ut cum amicis meis epularer. Sed postquam filius tuus hic, qui dissipavit substantiam suam, venit, occidisti illi vitulum saginatum.“

At ipse dixit illi: „Fili, tu semper mecum es, et omnia mea tua sunt! Epulari autem et gaudere oportebat, quia frater tuus hic mortuus erat et revixit; perierat, et inventus est.“

---

1 adolēscēns *(Adj.) jung* 2 substantia *Vermögen* 3 mē contingit *hier: mir kommt zu*
4 porcus *Schwein* 5 siliqua *Schote, Schale* 6 mandūcāre *essen*
7 mercenārius *Tagelöhner* 8 ōsculārī *küssen* 9 ānulus *Ring*
10 vitulus sagīnātus *gemästetes Kalb* 11 re-vīvīscere (-vīxī) *wieder lebendig werden*
12 haedus *Böcklein, junger Ziegenbock*

Ü

a) Was will Jesus mit diesem Gleichnis verdeutlichen? Welche Person steht im Mittelpunkt? Suche eine Überschrift, die der Kernaussage des Gleichnisses besser gerecht wird.

b) Dieser Abschnitt aus dem Neuen Testament erscheint dir sicher im Vergleich zu anderen lateinischen Texten relativ leicht. Versuche, diesen Eindruck genauer zu erläutern, indem du Wortwahl, Satzbau und Satzverbindungen des Textes untersuchst.

c) Stelle aus L die Komposita von ire zusammen und ordne sie in zwei Gruppen, je nachdem, ob ihre Bedeutung ohne weiteres zu erschließen ist oder nicht.

d) Surgam et ibo ... et dicam (Z. 17) – Bestimme die Verbformen. Welche sind zweideutig?

e) In Z. 22-24 findest du fünf Imperativformen. Verneine diese Sätze im Deutschen und im Lateinischen.

f) Das Verbum manducare (Z. 15) kommt aus der Umgangssprache; es bedeutete ursprünglich „kauen“, verdrängte dann aber edere in der Bedeutung „essen“. Wer findet heraus, wie manducare im Italienischen und Französischen weiterlebt?

I

Der Text der Bibel, in der nach christlichem Glauben die göttliche Offenbarung niedergelegt ist, war ursprünglich in hebräischer, aramäischer und griechischer Sprache verfasst. Als diese Sprachen nicht mehr von allen verstanden wurden, kamen Bibelübersetzungen in Gebrauch; die wichtigste ist die des Kirchenlehrers Hieronymus ins Lateinische (405 n. Chr.). Sie enthielt alle Schriften des Alten und Neuen Testaments und wurde auf dem Konzil von Trient (1546) als editio vulgata (allgemeine Ausgabe) für verbindlich erklärt; man legte damals fest, ... ut haec ipsa vetus et vulgata editio ... pro authentica (gültig) habeatur et ut nemo illam reicere ... audeat.

Das bekannteste christliche Gebet, das „Vaterunser“, lautet lateinisch:

PATER NOSTER, QUI ES IN CAELIS,
SANCTIFICETUR NOMEN TUUM.
ADVENIAT REGNUM TUUM.
FIAT VOLUNTAS TUA,
SICUT IN CAELO ET IN TERRA.
PANEM NOSTRUM COTTIDIANUM DA NOBIS HODIE.
ET DIMITTE NOBIS DEBITA NOSTRA,
SICUT ET NOS DIMITTIMUS DEBITORIBUS NOSTRIS.
ET NE NOS INDUCAS IN TEMPTATIONEM,
SED LIBERA NOS A MALO,
QUIA TUUM EST REGNUM ET POTESTAS ET GLORIA IN SAECULA.
AMEN.

Muss man seinen Eltern immer gehorchen?

Der Schriftsteller Aulus Gellius (2. Jh. n. Chr.) hat in seinem Werk „Noctes Atticae" viele amüsante und kurzweilige Anekdoten als Früchte seiner Lektüre gesammelt. Du siehst ihn hier in einer Ausgabe von 1706 in seinem Studierzimmer mit Blick auf die Engelsburg von Rom.

In sermonibus, quos philosophi quidam cum discipulis habebant, etiam hoc dissertum est: Semperne parentibus parendum est? De ea re philosophi tradiderunt tres sententias esse, quae considerandae essent. Earum una est: Liberis in omnibus rebus, quas parentes imperant, parendum est. Altera est: Liberis in quibusdam rebus parendum, in quibusdam obsequendum non est. Tertia est: Nequaquam necesse est parentibus obsequi et parere. Quia haec sententia primo conspectu nimis turpis est, de ea disputaturi sumus: Aut recte aut perperam[1] pater et mater imperant. Si recte imperant, eis obsequendum est - non, quia imperant, sed quia ius est id agi. Si perperam[1] imperant, nequaquam parendum est, quia non oportet liberos falsa facere. Deinde philosophi ita concludunt: Numquam parentibus parendum est. Sed neque ista sententia nobis probanda est, quia argutiola[2] est, neque autem illa prima sententia. Quodsi pater proditionem[3] patriae, si matris necem, si alia quaedam imperabit turpia aut impia aut iniqua, quid faciamus? Ego igitur reor mediam sententiam optimam et tutissimam esse.

1 perperam *Adv. falsch, verkehrt* 2 argūtiola *Spitzfindigkeit*
3 prōditiō, -ōnis *f Verrat*

a 1. Erkläre mit eigenen Worten, warum die „tertia sententia" eine Spitzfindigkeit ist.

2. Unter welchen Umständen muss man den Eltern nicht gehorchen? Suche Beispiele, die der Wirklichkeit näher liegen als die in Z. 26f. genannten.

b „Fleckerlteppich" - Bilde acht Formen von Deponentien und übersetze sie:

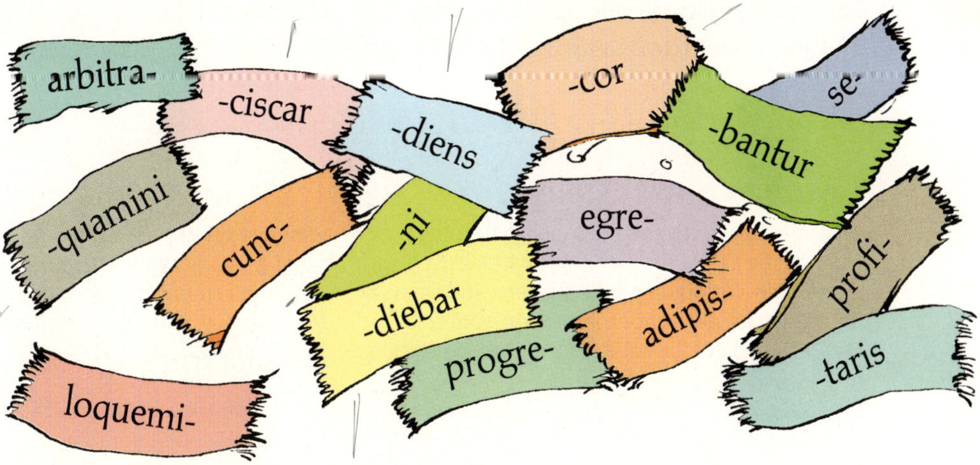

c Ersetze die Verbformen durch die in Klammer angegebenen bedeutungsähnlichen Deponentien: petam (adipisci) – exisset (egredi) – mone! (hortari) – Ne toleraveritis! (pati) – invaserunt (aggredi) – dicemus (loqui) – conspicerent (intueri) – intrabant (ingredi)

d Welche lateinischen Deponentien erkennst du in den folgenden Fremdwörtern:
Vektor – Patient – Sequenz – Querulant – Aggression – progressiv – Funktion

e Achtung: Irrläufer! In jeder Zeile findest du nur eine Gerundform:

1. comprehendo – iucundo – aliquando – secundo – sequendo
2. vehementi – educandi – defendi – contenti – suadenti
3. ad consumendum – interdum – secundum – ad salutem – nondum

f Lesen bildet. Übersetze:

1. Pauci homines multum temporis in legendo consumunt. 2. Legite sententias philosophorum et memoria retinete eas, quas legistis! 3. Doleo, quod apud multos libri quidam neglecti iacent. 4. Ne cunctati sitis interdum librum utilem legere! 5. Constat nullum librum tam malum esse, ut nihil prosit.

Welcher dieser Sätze enthält einen Prohibitiv, einen Imperativ, ein Gerund, ein Partizip, einen AcI?

g Meine Freundinnen kommen aus anderen Ländern. Übersetze:

Ego in Germania nata sum. Amicae meae Romae, Athenis, Alexandriae natae sunt. E Gallia, Hispania, Syria, e toto orbe terrarum convenerunt. Saepe liberi quattuor vel quinque annorum e patria egressi sunt. Cum parentibus profecti sunt, ut in Germania officia praestarent et muneribus variis fungerentur. Numquam amicas adiuvare cunctabor. Suam patriam diligunt, sed non desiderant. Quamquam nostri mores ab earum moribus differunt, quamquam multum interest inter eas et me, illae amicae optimae sunt. Vita sine amicis tristis esset.

Sammle aus diesem Text alle Formen von Deponentien und bestimme sie.

E

1. Cognovimus, quanto studio Romani sacra fecerint.
2. Imperatorum quoque magni intererat deos sacris placare.
3. Quin etiam Christianis imperabant, ut immolarent deis, quos illi non colerent.

L

Glaube contra Aberglaube

Während der römische Staat sonst fremden Religionen gegenüber recht tolerant war, wurden die Christen zeitweise systematisch verfolgt und grausam umgebracht. Nach den ersten Verfolgungen unter Nero und Domitian war lange Zeit unklar, wie man sich den Christen gegenüber verhalten sollte; erst die Maßnahmen des 3. Jahrhunderts stützten sich auf formelle kaiserliche Verordnungen, in denen u. a. das Opfern an heidnischen Altären verlangt wurde.
Die letzte große Verfolgungswelle fand unter Kaiser Diokletian – er herrschte 284-305 n. Chr. – statt. Laktanz überliefert uns dazu die folgende Begebenheit vom Beginn der Regierungszeit Diokletians:

Imperator Diocletianus pecudes immolare et in earum iecoribus[1] res futuras explorare consueverat. Aliquando quidam Christiani, cum interessent tali sacrificio, imposuerunt frontibus suis immortale signum[2]. Daemonibus[3] hoc modo fugatis sacra turbata sunt.

Haruspices trepidantes iterum immolabant, sed solitae in iecoribus notae non apparuerunt. Identidem[4] hostiae mactatae[5] nihil ostendebant, donec haruspex quidam suspicatus est idcirco non respondere sacra, quod rebus divinis profani homines interessent.

Imperator ubi haec cognovit, ira incensus non eos tantum, qui sacris interfuerant, immolare iussit, sed universos, qui erant in palatio[6]. Quia multum eius intererat etiam milites cogi ad nefaria sacrificia, praecepit, ut in eos, qui non paruissent, verberibus animadverteretur.

Tunc quidem Diocletianus nihil amplius contra legem aut religionem Dei fecit. Postea autem ab iis, qui Christianos maxime oderant, ad persequendos[7] nostros concitatus est. Bene memini, quae scelera furore eius commissa sint.

1 iecur, -oris *n Leber* 2 im-mortāle sīgnum *Kreuzzeichen*
3 daemonēs, -um *Dämonen (nach christlicher Auffassung böse Geister)*
4 identidem *immer wieder* 5 mactāre *schlachten* 6 palātium *Palast*
7 per-sequī *verfolgen*

Ü

a) Welches Bild von Kaiser Diokletian wird in L gezeichnet?
b) Stelle aus L Substantive, Adjektive und Verben zusammen, die zum Sachfeld „Religion und Opfer" gehören. Welche Ausdrücke zeigen, dass ein christlicher Autor den Text verfasst hat?

Der Märtyrer Laurentius sieht dem Feuertod entgegen (Mosaik aus Ravenna)

c Durch welche Adverbien und Pronomina werden in L die Gedanken und Sätze miteinander verbunden? Kläre jeweils die Bezüge der Pronomina und die Sinnrichtung der Adverbien.

d Welche Perfektformen in L bezeichnen einmalige Handlungen, welche stellen rückblickend oder beurteilend Tatsachen fest?

e Consuevisse und solere, cognovisse und scire sind Synonyme. Bilde jeweils die entsprechende Form des anderen Verbs: consueverat – cognoverit – solebam – sciebant – cognovisti – consueverunt – soles – scirent

f Warum steht in den folgenden Gliedsätzen von L der Konjunktiv?
1. Christiani cum interessent … (Z. 2f.) 2. quod … profani homines interessent (Z. 7f.) 3. ut in eos … verberibus animadverteretur (Z. 11f.) 4. quae scelera … commissa sint (Z. 15)

g „Wörter-Puzzle“:
Bilde zwei sinnvolle Sätze zum Thema Christenverfolgung:
interfuit – cognovimus – animadvertisse – persequi (verfolgen) – crudeliter – multum – Neronis – Diocletianum – Christianos – in Christianos – etiam

h Felix kauft sich „Ben Hur“, das klassische Buch über Christenverfolgungen. Hinein schreibt er seinen Namen und die folgenden Verse:

Hic liber ist mein,
nomen meum scripsi drein.
Si vis hunc librum stehlen,
Pendebis an der Kehlen.

Tunc venient die Raben,
qui volunt tibi oculos ausgraben.
Tunc clamabis ach, ach, ach!
Tamen tibi recte geschach!

1. Diocletianus – eum Christianos crudeliter oppressisse constat – imperium Romanum in partes quattuor divisit.
2. Diocletianus, quem Christianos crudeliter oppressisse constat, imperium Romanum in partes quattuor divisit.
3. Constantinus – quare (is) Maxentio restiterit, scitis – signo Dei proelium iniit. Constantinus, qui quare Maxentio restiterit scitis, signo Dei proelium iniit.
4. Tum proelium commiserunt, quo confecto Constantinus victor discessit.

Ein Tag und die Ewigkeit

Der folgende Text stammt von Jacobus von Vitry († 1240), der – wie er selbst zugibt – gerne exempla, d. h. beispielhafte Ereignisse oder Erzählungen, in seinen Predigten verwendete, um „Kirchenschläfer" wieder zum Hinhören zu bewegen. Jacobus wusste, wodurch die Kirchenbesucher angesprochen werden konnten: Magis enim moventur exemplis quam … profundis (bedeutungsvolle) sententiis.

Abbas quidam, qui quanto desiderio de vita aeterna cogitaverit scimus, inter alia de gaudiis paradisi[1] considerabat. Neque percipiebat, quomodo sancti sine taedio tam diu versari possent uno in loco.

Aliquando illi viro, dum ambulat in silva prope abbatiam[2], avis pulcherrima apparuit; cuius cantu suavissimo ita delectabatur, ut aliquamdiu cum ea luderet.

Vespere autem cum redisset ad portam abbatiae, omnia mutata repperit: Nec ianitorem[3] cognovit nec ipse ab eo cognitus est. Qua re perturbatus: „Ego", inquit, „postulo, ut portam aperias abbati huius monasterii, quem paulo ante in silvam exisse non ignoras." Nemini autem in monasterio ille notus erat. Monachi[4] hanc rem, qua animadversa abbas maxime commovebatur, mirati sunt. Itaque inspicere librum statuerunt, in quo nomina omnium abbatum scripta esse sciebant. Et invenerunt trecentos annos esse praeteritos, ex quo[5] ille abbas monasterii fuerat.

Quid ergo Dominus hac fabula ostendit? Mille anni in aeterna beatitudine[6] sine ullo taedio erunt tamquam dies, qui praeteriit; atque plus est Deum facie ad faciem cernere quam cum avicula[7] ludere.

1 paradīsus *Paradies* 2 prope abbātiam *in der Nähe der Abtei*
3 iānitor *Türhüter, Pförtner* 4 monachus *Mönch* 5 ex quō *seit (dem)*
6 beāti-tudo *Glück(seligkeit)* 7 avi-cula ~ avis

a) Was kann sich der Abt am Anfang des Exempels nicht vorstellen? Skizziere mit eigenen Worten, welche Lehre der Leser aus dem Erlebnis des Abtes ziehen soll.

b Gattinnen berühmter Römer:

1. Calpurnia, quae quemadmodum Caesarem monuerit, ne curiam intraret, scitis, nihil impetravit. 2. Livia, quam coniugem fidam, fortem, prudentem Augusti fuisse constat, etiam in re publica multum valebat. 3. Iulia, Augusti filia, quam odium patris vita luxuriosa excitavisse legimus, ab eo in exilium (Exil!) missa est. 4. Agrippina, quam cupidissimam imperii fuisse audimus, postea a Nerone filio interempta est.

c Unterscheide und bestimme:

1. dissiparet – dissipet – dissipat 2. admiratur – admiretur – admiraretur 3. redisset – rediret – redierit 4. cognosce – cognosci – cognovi 5. aperiatis – aperietis – aperitis 6. ostendit – ostendet – ostendat 7. progreditur – progredietur – progrediatur

d Beschreibe die sprachlichen Besonderheiten in den Relativsätzen und übersetze möglichst gewandt:

1. Venit hodie meus amicus, quem fidissimum habeo. 2. Qui artifex est, quo meliorem Roma numquam peperit. 3. Fecit enim statuam praeclaram Veneris, qua statua omnibus artificibus praestitit. 4. Quo die statua in foro collocata est, eodem gloria amici aucta est. 5. Opus clarissimum ab eo factum esse per urbem nuntiabatur, id quod (quae res) etiam ad aures imperatoris venit. 6. Et ille: Quam quisque didicerit artem, in hac se exerceat!

e Versuche, den folgenden mittelalterlichen „Sinnspruch“ zu verstehen:

Cum sis in ╲   ╱ tu, presbyter[1] atque lev- ╲
             > vita, <   > ita[2]
Quae mala sunt, ╱   ╲ Dominus tibi praecipit ╱

f Zu den folgenden englischen Wörtern findest du in L die lateinischen Herkunftswörter:

face – mile – name – eternal – saint – to appear – to consider – to invent

1 presbyter *Priester* 2 lēvīta *Diakon*

Die berühmte Abtei Cluny in Frankreich (Rekonstruktion)

1. Saepe fiebat, ut sacerdotes exemplis uterentur.
2. Magnam enim operam dabant, ut homines religionem Christianam intellegerent.
3. Hortabantur homines, ne iniuriam facerent.
4. Verebantur, ne homines iniuriam facerent.

Georg der Drachentöter

Jacobus de Voragine, ein Dominikanermönch und später Erzbischof von Genua, sammelte im 13. Jh. Erzählungen über Märtyrer und Heilige, die er dann als Zeugnisse für den Glauben und rechte Frömmigkeit herausgab. Wegen seiner einfachen Sprache fand das Werk, das später den Titel Legenda aurea erhielt, auch beim Volk Anklang. Besonders berühmt ist die Legende vom heiligen Georg:

Olim iuxta quandam civitatem draco ingens habitabat, qui saepe populum contra se armatum fugaverat et flatu[1] suo civibus pestem afferebat.

Ex quo fiebat, ut cives huic bestiae cottidie hominem sorte delectum offerrent; ita assecuti sunt, ut eius furorem sedarent.

Aliquando autem male accidit, quod unica filia regis draconi sorte destinata est. Quoquo modo poterat, rex prohibere studuit, ne filia hoc crudeli modo moreretur. Populus autem timens, ne omnes cives draconis flatu interirent, regi non concessit, ut filiam servaret. Plenus timoris et multis cum lacrimis pater puellam complexus est et clamavit: „Heu me, filia mea dulcissima, quid faciam? Utinam ego iam mortuus essem!" Deinde illa ex urbe egressa est.

Quam ubi vidit beatus Georgius casu praeteriens, interrogavit, quid haberet. Et illa: „Bone iuvenis, fuge velociter, ne mecum moriaris!" Cui Georgius: „Ne timueris, filia, quia in Christi nomine te adiuvabo! Hinc ego non discedam, donec mihi, quid habeas, dices." Et illa: „Bone miles, sufficit[2], si sola peream. Neque prudenter facis, quod me adiuvas. Tu igitur vide, ne mecum pereas!" Sed Georgio non persuasit, ut fugeret.

Dum colloquuntur, subito draco apparuit. Georgius statim equum ascendit et cruce se muniens[3] atque Deo se mandans draconem contra se advenientem audacter aggreditur. Ei contigit, ut lancea[4] bestiam graviter vulneraret et ad terram deiceret[5]. Deinde draconem in civitatem duxit civibusque dixit: „Ne obliti sitis huius facti! Ne timueritis! Ad hoc enim me misit Dominus, ut a dracone vos liberarem! In Christum credite, et unusquisque vestrum[6] baptizetur[7], et ego hunc draconem occidam."

Ita regem omnesque cives commovit, ut baptizarentur; draconem autem beatus Georgius gladio occidit.

---

1 flātus, -ūs *Hauch* 2 suf-ficere *genügen* 3 mūnīre *schützen* 4 lancea *Lanze* 5 dē-icere *niederwerfen* 6 vestrum *hier: von euch* 7 baptizāre *(griech.) taufen*

Der heilige Georg (Russische Ikone aus St. Petersburg)

Ü

a 1. Cur beatus Georgius filiam regis adiuvit? Quid impetravit?
2. Was kann diese Legende verdeutlichen? Welche Menschen sollte sie wohl besonders ansprechen?

b Suche aus L je zwei Beispiele für abhängige Begehr- und abhängige Aussagesätze.

c Bestimme die Bedeutung der folgenden Konjunktive im Hauptsatz:
Quid faciam? (Z. 9f.) – utinam … mortuus essem! (Z. 10) – ne timueritis (Z. 21) – baptizetur (Z. 22f.)

d Übersetze und gib jeweils an, ob es sich um einen Aussage- oder einen Begehrsatz handelt:
1. Qui (wie) fit, ut nemo sua sorte contentus sit? 2. Indignor, quod non fecisti, quod volui. 3. Videant consules, ne quid res publica detrimenti capiat! 4. Nonnullis sapientibus contigit, ut nihil inviti facerent.

e Wähle jeweils die passende Bedeutung für monere und persuadere:
1. Discipuli monentur, ut multa discant. – Discipuli monentur, ne officia neglegant. – Discipuli monentur scholam rem necessariam esse.
2. Magistro persuasimus, ut scholam relinquere nobis permittat. – Magistro persuasimus non omnia discenda esse.

f Unterscheide:
1. sedare – servare – servire 2. fugare – fugere – figere
3. accipere – accidere – accedere

1. Carolus Magnus ecclesiae (Kirche) consulere solitus erat.
2. Multo post imperatori Henrico (Kaiser Heinrich) vehemens controversia erat cum Gregorio papa (Papst Gregor).
3. Henricus potestati suae confidebat (confisus est).
4. Gregorius autem potestatem Henrici minuere audebat (ausus est).
5. Neuter in veterem concordiam revertebatur (revertit).

Während Karl der Große im Interesse der christlichen Einheit Europas kirchliche Würdenträger nach seinem Gutdünken einsetzte, entbrannte im 11. Jh. zwischen Papst Gregor VII. und dem deutschen Kaiser Heinrich IV. ein erbitterter Streit um die Besetzung hoher Kirchenstellen: Der Papst, der die Kirche reformieren und aus ihrer weltlichen Abhängigkeit lösen wollte, untersagte dem Kaiser, Bischöfe in ihr geistliches Amt einzuführen. Der Kaiser, der seinen Einfluss auf die Kirche schwinden sah, wehrte sich, ließ durch die deutschen Bischöfe den Papst für abgesetzt erklären – und wurde schließlich 1076 vom Papst „gebannt" (d. h. aus der Kirche ausgeschlossen).
Der Streit um die Besetzung der Kirchenstellen wurde erst 1122 mit dem sog. Wormser Konkordat beigelegt.

Kirchenbann gegen Kaiser Heinrich

Dem folgenden Text aus der „Bannbulle" ist zu entnehmen, wie der Papst sein Verhalten begründete und was die „Bannung" für Heinrich bedeutete:

Beate Petre[1], apostolorum princeps, aures tuas da mihi, servo tuo, quem semper adiuvisti et e manu eorum, qui me oderunt, liberavisti! Tu mihi testis es, quod tua sancta Romana ecclesia me invitum ad sua gubernacula[2] traxit; neque enim locum tuum pro gloria mundi arripui neque gavisus sum, quod ad sedem tuam ascendi. Ideo ex tua gratia, non ex meis operibus populus Christianus mihi oboedit. A Deo mihi data est potestas ligandi et solvendi in caelo et in terra.
Tuae gratiae confisus omnia per tuam potestatem et auctoritatem facio. Itaque Henrico[3] regi, qui contra tuam ecclesiam inaudita[4] superbia surrexit, totius regni Teutonicorum[5] et Italiae gubernacula contradico[6]. Omnes Christianos a vinculo iusiurandi, quod dederunt, absolvo; praeterea interdico, ne quis ei sicut regi serviat.
Dignum est enim, ut is, qui ausus est honorem ecclesiae tuae minuere, ipse honorem amittat. Et quia oboedire noluit nec ad Deum revertit, quem reliquit contemnendo mea monita, vinculo anathematis[7] eum alligo[8].

1 Petrus *Petrus (Apostel und erster Papst)*
2 gubernācula, -orum *Lenkung, Leitung*
3 Henrīcus *Heinrich* 4 in-audītus 5 Teutonicī *die Deutschen*
6 contrā-dīcere alicui aliquid *jem. etw. absprechen*
7 anathema, -atis *(griech.) Kirchenbann* 8 al-ligāre ~ ligare

Christus verteilt die geistliche und die weltliche Macht, symbolisiert durch Schlüssel und Schwert (Mittelalterliche Buchmalerei).

Ü

a) Wie hat Papst Gregor VII. die Bannbulle gegliedert? Welchen Vorwurf weist der Papst entschieden zurück? Wie rechtfertigt er die Bannung Heinrichs?

b) Drei Gliedsätze in L werden mit quod eingeleitet. Bestimme, welches quod jeweils vorliegt.

c) Bilde zu den Formen des Perfektstammes die entsprechenden des Präsensstammes und umgekehrt:
gavisus est – confidant – ausus sum – revertit – solemus – revertuntur – confisus – ausus esses – gaudeamus – solitus es – reverterant – confiditis – auderent – revertor

d) Füge ut, ne oder quod ein und übersetze:
Gregorius papa id egerat, ① regis auctoritatem minueret. Henricus rex postulavit, ② Gregorius a sede Petri descenderet. Gregorius autem Henricum monuerat, ③ honorem ecclesiae minueret. Henrico male evenit, ④ papae monita contempserat. Sequebatur enim, ⑤ papa regem vinculo anathematis[1] alligaret[2].

e) Übersetze und erkläre, welche Konstruktionen bei den nd-Formen vorliegen:
1. Ad sedem Petri non gloriae augendae causa, sed invitus ascendi. 2. Imperium Teutonicorum Henrico non iam regendum est. 3. Nam occasionem ad Deum revertendi omisit.

f) Stelle aus L diejenigen Komposita zusammen, die mit den Präpositionen a(b) und ad gebildet sind. Welche lautlichen Veränderungen musst du beachten? Gib jeweils das Verbum simplex mit deutscher Bedeutung an.

g) NESCIT VOX MISSA REVERTI.
FIDE[3], SED CUI, VIDE!

---

1 anathema, -ātis *Kirchenbann* 2 al-ligāre ~ ligāre 3 fīde ~ cōnfīde

Sport und Spiele

Felix hat gesagt: Treffpunkt Circus Maximus

- Und wo steckt er denn jetzt?
- Vielleicht hat sich unser kluger Stadtführer selbst verlaufen.
- Ein gigantisches Stadium ist das hier. Aber leider ist gar nichts mehr los.
- Doch! Schau, die Staubwolke dort hinten!
- Ist ja irre! Sechs Pferde, dahinter ein richtiger Streitwagen – das ist ja wie im Film!
- Sieh nur, der Wagenlenker! Hoch aufgerichtet steht er da und schwingt die Peitsche! Und was er für ein grelles grünes Gewand trägt! Ein Wahnsinnstempo hat er drauf!
- Tatsächlich, er hält vor uns! Wie er die schnaubenden Pferde zum Stehen bringt, alle Achtung!

Felix: *Ave, Caesar!*

- Meint der uns?

Felix: Die besten Plätze habt ihr euch natürlich ausgesucht. Wo ihr jetzt sitzt, stand einst der Kaiser.

- Hört nur, Felix der tolle Römer! Ein Sechsergespann kann er lenken. Du wärst wohl gerne der Star in der Arena gewesen?

Felix: Applaus ist nicht verboten, ihr Langweiler! Damals war das anders. 250000 Menschen hätten mir zugejubelt. Mit Trompeten wäre ich begüßt worden. Dann wäre der Kaiser aufgestanden – gekleidet in eine scharlachrote Toga, mit einem Elfenbeinstab in der Hand. Du hättest ihn für Jupiter selbst halten können. Und eine Stimmung war das bei den *ludi* rings um die Arena!

- Ist Grün neuerdings deine Lieblingsfarbe, Felix?

Felix: Nein, aber ich gehöre zur *factio prasina* – wenn ihr versteht, was ich meine.

- Keine Ahnung!

Felix: Mein Rennstall trägt traditionell die grüne Farbe. Unseren Fans ist das grüne Trikot heilig. Auf uns werden die meisten Wetten abgeschlossen.

- Waren die Römer alle Pferdenarren?

Felix: Großenteils schon! Aber es gab auch noch andere Vergnügungen für die Masse der Leute. Das Freizeitangebot war groß. Folgt mir nur!

Aufgaben

(a) Diskutiert in der Klasse über das Für und Wider folgender Massenunterhaltungen: die Gladiatorenkämpfe in der Antike, die Stierkämpfe und Formel-1-Rennen in der Neuzeit.

(b) Projekt: Welche Möglichkeiten hatten die Römer, ihre Freizeit zu gestalten? Schlagt dafür in einem Nachschlagewerk z. B. unter den Stichwörtern „Circus maximus“, „Amphitheater“, „Theater“, „Thermen“ nach. Informationen hierzu findet ihr auch in „Felix – Das Sachbuch“ (S. 214-223), das euch eure Lateinlehrerin oder euer Lateinlehrer gerne zur Verfügung stellen. Berichtet in der Klasse.

(c) Projekt: Ballspiele, Kinderspiele, Brettspiele der Römer
Informiert euch über verschiedene Spiele bei den Römern. Euer Lehrer oder eure Lehrerin werden euch dabei sicherlich behilflich sein. Für die Brettspiele könnt ihr z. B. auf eine Spielesammlung zurückgreifen, die ihr beim Museumspädagogischen Zentrum in München (Barerstr. 29, 80799 München) erwerben könnt. Organisiert einen „Spieltag“ in eurer Klasse oder Schule.

Auch Sportler müssen leiden

Die Gladiatoren von Rom waren meist Kriegsgefangene oder zum Tode verurteilte Verbrecher. Sie wurden in Kasernen unter der Anleitung älterer erprobter Kämpfer sorgfältig für die Arena ausgebildet. Solches Training war alles andere als ein Vergnügen:

Gladiatores in corporibus exercendis magna disciplina utebantur. Non est enim utilis exercitatio nisi ea, quae simillima est huic operi, ad quod exercetur; quin etiam optima est, si durior est vero certamine.

Gladiatores gravioribus armis exercentur quam pugnant. Magister illos diutius[1] in armis retinet quam ab adversario tenentur. Pugiles[2] et luctatores[3] duos vel tres adversarios fatigant, ut eo facilius singulis resistant. Cursores, cum intra parvum spatium de celeritate iudicetur, exercitationis causa saepe decurrunt[4] id spatium, quod semel decursuri sunt in certamine.

Sic labor, quo homines exercentur, consulto[5] multiplicatur[6], ut eo facilior sit, cum de victoria decertandum est.

Marcus Tullius Cicero explicare conatur, quomodo gladiatores tantos dolores tanta virtute pati possint:

„Magna est vis consuetudinis. Pugiles caestibus[7] afflicti ne gemunt quidem. Ille, qui optime exercitatus[8] est, accipere plagas[9] quam turpiter vitare mavult. Saepe videmus eos nihil malle quam domino et populo satisfacere. Qui mediocris gladiator gemuit, quis vultum umquam mutavit? Nemo eorum timide stetit, nemo adversario cum infamia succubuit! Et si victus est: quis eorum, postquam ferrum recipere[10] iussus est, collum reduxit?"

---

1 diutius: *Komparativ zu* diu 2 pugil, -ilis *Boxer* 3 luctātor *Ringer*
4 dē-currere *durchlaufen* 5 cōnsultō *(Adv.) absichtlich* 6 multi-plicare: *vgl. Fw*
7 caestus, -ūs *Schlagriemen* 8 exercitātus *geübt, trainiert* 9 plāga *Schlag, Stoß*
10 ferrum recipere *den Todesstoß erhalten*

Das folgende Fußbodenmosaik stellt kämpfende Gladiatoren dar:
Links oben hat der Netzkämpfer Licentiosus seinen Gegner niedergestreckt. Der am Boden liegende Astivus ist mit dem sog. ϴ nigrum (schwarzes Theta) als tot gekennzeichnet (mit Theta beginnt das griechische Wort für „Tod" = thanatos), ebenso der Rodan(us) am rechten Bildrand.

Ü

a) Die Kampfestechniken der Gladiatoren ähneln gewissen Sportarten der heutigen Zeit. Welche erkennst du in L wieder?

b) Verbinde zu grammatikalisch korrekten und inhaltlich sinnvollen Sätzen und übersetze:
Fieri potest – Bene fit – Miror – Multum abest
?, quod tot homines hodie Colosseum petunt.
?, ut imperator quoque his ludis intersit.
?, quod longe a Colosseo absum.
?, ut ego quoque caedem in arena diligam.

c) Ein berühmter Dichter von Fabeln war der Grieche Aesop (6. Jh. v. Chr.).
Hac fabula Aesopus athletas gloriosos[1] reprehendit:
Vir quidam, quem cives ignavum putabant, aliquando post longum tempus domum revertit. Magna voce haec narravit: „In aliis terris multa et clara facinora commisi. Ut exemplo utar, Rhodi[2] tantum saltum dedi[3], quantum nemo Olympionices[4] dare possit. Testes adhibere possum omnes, qui me illum saltum dare viderunt.“ Cui unus ex iis, qui circumstabant atque hoc audiverant: „Mi amice,“ inquit, „cur testes adhibendi sunt? Hic Rhodus, hic salta[5]!“

d) Ein Sportreporter berichtet:
Omnes, qui aderant, horum ludorum semper meminerint. Decem cursores summae celeritatis victoriam petiverunt. Unusquisque adulescentium cupidus honoris erat, unusquisque victoria dignus fuit. Postremo Marcus Velleius ceteris celeritate praestitit. Nunc victoris est vobis de victoria narrare:
„Primo viribus meis peperci. Neque tamen adversarios parvi feci. Spes victoriae impetrandae mihi numquam defuit. Confisus sum viribus meis. Cum finis adesset, exercitatio atque constantia mihi magno usui erant.“
Übersetze und suche für folgende Kasus je ein Beispiel aus dem Text:
Gen. der Beschaffenheit, Gen. partitivus, Gen. der Zugehörigkeit, Gen. als Objekt, Dat. des Vorteils, Dat. als Objekt, Dat. des Zwecks

e) Felix räumt in einem Anfall von Ordnungsliebe den Bus auf:

Felix:	Velim me adiuves, Paule.
Paulus:	Cur te adiuvem? Nunc te adiuvare nolo; ad pedifollium[6] ire malo. Noli me retinere!
Felix:	Spero te officiis tuis fungi malle.
Paulus:	Quid indignaris?
Felix:	Nonne me adiuvare quam deserere mavis?
Paulus:	Neutrum volo, sed hodie Romani cum Monacensibus[7] certabunt[8]. Quis non eos videre malit?

1 glōri-ōsus *prahlerisch* 2 Rhodī *auf Rhodos* 3 saltum dare *weitspringen*
4 Olympionīcēs *Olympiasieger* 5 saltāre *springen* 6 pedifollium *Fußballspiel*
7 Monacēnsēs, -ium *Münchner* 8 certāre *hier: spielen*

(f) Verfasst in Gruppenarbeit eine Reportage über ein Fußballspiel und verwendet dabei u. a. folgende Vokabeln:

pedifollium	Fußballspiel	adversārius	Gegenspieler
campus	Fußballplatz	arbiter	Schiedsrichter
porta	Tor	chartulam flāvam (rubram) mōnstrāre	die gelbe (rote) Karte zeigen
pila	Ball		
rēte, -is *n*	Netz	iactāre	schießen
dēfēnsor	Verteidiger	iactus, -ūs	Schuss
portārius	Torwart	iactus līber	Freistoß
(medius) aggressor	(Mittel-) Stürmer	iactus ūndecim metrōrum	Elfmeter
		īnsidiōsum sē praebēre	ein Foul begehen

So verhalten sich Sportfans

Ein echter Sportfan unserer Zeit identifiziert sich voll mit seinem Verein. Vereinsartikel sind heiß begehrt und man zeigt sie deutlich sichtbar. – Der Schriftsteller Plinius schildert in einem Brief an einen Freund ein ähnliches Verhalten von Zuschauern bei den Wagenrennen im Circus Maximus, wo man die Wagenlenker des eigenen „Vereins" abgöttisch verehrte und auf sie Wetten abschloss.

Circenses[1] erant, sed hoc genere spectaculi minime commoveor. Nihil erat novum, nihil varium, nihil erat, quod non satis esset semel spectavisse.

Eo magis miror, quod tam milia virorum iterum atque iterum cupiunt, ut equos currentes et homines in curribus stantes videant. Si quidem celeritate equorum aut hominum arte moverentur, esset aliqua ratio in hoc spectaculo.

Nunc autem favent tunicae[2], tunicam amant. Si in ipso cursu et certamine hic color illuc, ille huc transferatur, etiam studium favorque transibunt. Subito illos agitatores[3] et illos equos, quorum nomina clamitant[4], relinquent. Tanta gratia, tanta auctoritas in una vilissima tunica!

1 circēnsēs, -ium *Zirkusspiele* 2 tunica *hier: Trikot*
3 agitātor *Wagenlenker* 4 clam-it-āre *Verstärkung zu* clamāre

(a) 1. Plinius lehnt Massenveranstaltungen wie die Wagenrennen ab. Welche Gründe nennt er hierfür?

2. Was kritisiert er am Verhalten der Fans?

3. Überlegt gemeinsam: Welche Gründe veranlassen Menschen der heutigen Zeit, in den Fanclub eines Sportvereins, z.B. eines Fußballvereins, einzutreten?

(b) Welche Formen sind gleichbedeutend?

revertar – rediit – revertere – redeunt – redi – revertuntur – revertit – revertamur – redibo – redeamus

(c) amare und odisse, meminisse und oblivisci sind Gegensatzpaare. Bilde jeweils die entsprechene Zeitform:

amabis	– od ?	obliviscuntur	– memin ?
ama ?	– odisset	oblivisc ?	– memineratis
amabam	– od ?	obliviscetur	– memin ?

Sport in Rom

Im kaiserzeitlichen Rom gab es beides: den berufsmäßig betriebenen Sport und den Ausgleichssport. Die Gladiatoren können als Leistungssportler im heutigen Sinne gelten, die in den Kampfsportarten Ringen und Fechten gut ausgebildet waren und in ständigem Training standen. Die sportliche Betätigung eines jeden jungen Römers hing auch mit der militärischen Ausbildung zusammen. Auf dem Marsfeld übte man sich im Laufen und Springen, im Ring- und Faustkampf, trainierte das Speerwerfen, Fechten und Reiten. Im Tiber erlernte man das Schwimmen. Gut geeignet für den Ausgleichssport waren die riesigen kaiserzeitlichen Thermen. Gymnastikhallen und Ballspielplätze boten vielfältige Möglichkeiten zu gymnastischen Körperübungen mit und ohne Hanteln, Lauf- und Lockerungsübungen sowie zu dem bei Frauen bevorzugten Laufen mit einem Metallreifen. Frauen besuchten ebenso wie die Männer sportliche Veranstaltungen und öffentliche Bäder.

Über die Ballspiele der Römer wissen wir recht gut Bescheid: Beim Trigon z.B. bildeten drei Teilnehmer ein Dreieck und warfen, prellten oder schlugen sich mit einer Hand den Ball zu, den der Partner mit der anderen fangen sollte.

Ballspiel. Wandgemälde aus dem 2. Jh. n. Chr. (Rom)

E

1. In Colosseum saepe concurrebant homines, ut ludos spectarent.
   In Colosseum saepe concurrebant homines, qui ludos spectarent.
2. Felix autem, qui (cum) talia spectacula contemnat, ibi non versatur.
3. Neque enim is est, qui (ut) crudelitate delectetur.
4. In amphitheatro multi sunt, qui magno clamore gladiatores concitent et eorum sanguine gaudeant.

L

Sind das noch „Spiele“?

Der Philosoph Seneca (4 v.–65 n. Chr.) beklagt in einem Brief das Verhalten der Zuschauermassen, die an den Grausamkeiten der Gladiatorenspiele Vergnügen finden, und berichtet, was er selbst einmal bei solchen Kämpfen erlebte.

Nihil tam periculosum bonis moribus existimo quam in aliquo spectaculo sedere; tunc enim per voluptatem vitia irrepunt[1]. Sentio me quoque a ludis crudeliorem et inhumaniorem[2] domum reverti.

Nuper in meridianum spectaculum[3] incidi lepidos ludos exspectans, quibus oculi delectarentur. At ferro et igne pugnabatur; exitus pugnantium semper mors erat. Nihil gladiatores habebant, quo tegerentur; totis corporibus nudi mutuos ictus[4] excipiebant. Hoc quidem, quod sciam, plerique praeferunt aliis pugnis. Mane igitur homines leonibus et ursis[5], meridie spectatoribus obiciuntur.

Um seine kritische Einstellung zu verdeutlichen, gestaltet Seneca einen Dialog mit einem faszinierten Zuschauer, der sich nicht umstimmen lässt:

„Multi in arena confligunt, qui aut latrocinium[6] fecerint aut homines occiderint! Quia scelus commiserunt, digni sunt, qui suspendantur!“ – Quid ergo? Quia occiderunt, illi meruerunt, ut hoc paterentur. Sed quid est, quod tu miser hoc spectes? – „Occide! Quare tam timide incurrit[7] in ferrum? Cur parum libenter moritur?“

Quo ex sermone intellegi potest vitandam esse turbam; neque enim desunt, qui mala exempla dent vitiaque nobis tradant.

1 ir-rēpere *sich einschleichen* 2 in-hūmānus
3 merīdiānum spectaculum *Mittagsvorstellung (eine Art ‘Pausenfüller’)*
4 mūtuī ictūs *(Pl.) gegenseitige Hiebe* 5 ursus *Bär* 6 latrō-cinium *Diebstahl*
7 in-currere

Ü

a) 1. Woran übt Seneca Kritik? Worin sieht er die Hauptgefahr der Spiele? Welche Folgerung zieht er im letzten Satz des Textes (Z. 15f.)?

2. Was will Seneca durch das Gespräch mit dem Zuschauer (Z. 10ff.) ausdrücken? Auf welche Frage geht der Zuschauer nicht direkt ein?

b Suche aus L je ein Beispiel für einen Relativsatz finaler, kausaler und konsekutiver Sinnrichtung.

c Übersetze und gib jeweils die Sinnrichtung des Relativsatzes an:
1. Seneca idoneus videbatur, qui Neronem educaret. 2. Epistulae Senecae philosophi dignae sunt, quae omni aetate legantur.
3. Rex, qui res futuras explorare cuperet, sacra fecit. 4. Tum legiones, quae hostium castra oppugnarent, misit. 5. Hostium legati venerunt, qui pacem peterent.
6. Nonnulli Romani servos Graecos emebant, qui filios erudirent. 7. Philosophi Graeci dicebant: „Homini ratio est, qua regantur voluptates." 8. Cato, qui Graecos odisset, filium monuit, ne medicis[1] Graecis crederet.

d Bilde jeweils zwei richtige lateinische Wörter bzw. Wortformen, indem du verschiedene Einzelbuchstaben ergänzt; der Lektionstext bietet dazu oft Ansatzpunkte:

sed [?] re	lud [?] s	habeb [?] nt
viti [?]	[?] t	erg [?]
decipi [?] ur	ign [?]	qui [?]
revert [?] r	mor [?]	spect [?] mus
turbare [?]	nefari [?]	caut [?] s

e Erkläre die englischen Zeitangaben a.m. und p.m.

f Die lateinischen Texte wurden lange in Großbuchstaben sowie ohne Wortfuge und Satzzeichen überliefert. Versuche, die folgenden zwei Sätze Senecas in unserer Schreibweise zu notieren und zu übersetzen:
RECEDEINTEIPSUMQUANTUMPOTES
CUMHISVERSAREQUITEMELIOREMFACTURISUNT

---
1 medicus *Arzt*

I Kritische Äußerungen zur Grausamkeit der Spiele waren in der Antike äußerst selten. Es fällt uns schwer zu glauben, dass die meisten Menschen die gleiche Haltung vertraten wie der Zuschauer im Lektionstext – und doch wird dies eindeutig überliefert:
Über 250 000 Zuschauer passten zur Zeit des Kaisers Vespasian in den Circus maximus, 50 000 in das Colosseum. Gute Gladiatoren wurden verehrt wie heute Fußball- oder Popstars. Dazu kommt, dass das Volk freien Eintritt hatte und oft in Zusammenhang mit den Spielen großzügige Getreidespenden erhielt. Die Pracht der Spiele erfüllte die Zuschauer auch mit Stolz und konnte lange von den politischen und sozialen Problemen ablenken – von der Arbeitslosigkeit ebenso wie von der Tatsache, dass politische Betätigung und Einflussnahme für die Volksmasse unmöglich war.

E

1. Affirmat Seneca vitanda esse vitia, quae in turba hominum nobis praebeantur.
2. Quaerimus, cur crudelitate delectentur ii, qui ludos spectent.
3. Seneca ludos reprehendit, quod his voluptatibus mens sana moresque pereant.
4. Adulescentes in theatra veniebant, ut ibi puellas spectarent.
5. Adulescentes in theatra veniebant puellas spectatum.
6. Facile intellectu est, cur etiam puellae in theatra venerint.

Kopf eines römischen Mädchens

L

Ideale Treffpunkte: Theater und Zirkus

Der Dichter Ovid gibt jungen Männern Tipps, wo und wie man in Rom hübsche Mädchen treffen und Kontakte mit ihnen knüpfen kann:

Ovidius poeta urbem Romam laudat, quod ibi multae atque formosae[1] puellae reperiantur. Adulescentibus etiam ostendit, quibus locis praecipue virgines quaerant:

In theatris certe invenies puellam, quacum ludere[2] possis, quam amare atque tenere velis. Ut enim apes[3] pascua olentia[4] nactae per flores volant, sic in celebres ludos contendunt cultissimae feminae. Veniunt ludos spectatum; atque veniunt, ut ipsae quoque spectentur.

Etiam circus multa commoda novo praebet amori: Ibi nihil opus est digitis, per quos clam cum puella loquaris; nam proximus a domina tua – nullo prohibente – considere atque in sermonem ingredi potes. Neque difficile cognitu est, num puella tecum ludere velit.

Primum studiose requiras, cuius equi in curriculo[5] sint et cui illa faveat. Propera plaudere eisdem, quibus illa plaudeat! Neque ignoras multas esse res, quibus aliquod officium praestare possis: Nonnullis iam utile fuit puellae obtulisse pulvinum[6], quo commode sedeat; quidam tenui tabella[7] ventos movent, ut animum atque favorem puellae in se convertant.

His igitur locis facile eligas eam, cui dicas: „Tu mihi sola places!"

---

1 fōrm-ōsus *schön* 2 lūdere *hier: flirten* 3 apis, -is *f Biene*
4 pascua olentia *(Akk. Pl.) duftende Wiesen* 5 curri-culum *Rennbahn*
6 pulvīnus *Sitzkissen* 7 tabella *Fächer*

Ü

a) Warum sind nach Ovid die Theater so günstige Treffpunkte? Warum der Zirkus? Welche Tricks, eine Bekanntschaft zu machen, empfiehlt Ovid?

b) Suche aus L je ein Beispiel für einen obliquen Konjunktiv, der Ausdruck einer persönlichen Meinung bzw. von einem Konjunktiv oder Infinitiv abhängig ist.

c Bestimme Tempus und Modus der folgenden Verbformen; übersetze die Indikativformen:

1. reperiantur – reperiuntur – reperientur 2. invenies – invenias – invenis 3. intermittitur – intermittatur – intermittetur 4. admirati estis – admirati sitis – admirati essetis 5. possis – posses – potes 6. perturbet – perturbabat – perturbat 7. contendit – contendet – contendat 8. requiras – requires – requiris 9. adipisceris – adipiscaris – adeptus sis 10. plaudat – plaudebat – plaudet

d Grammadux hat einen Merkvers zur Wiedergabe der Supinformen gedichtet:

Supin gibt's auf -um, Supin gibt's auf -u
übersetz' immer mit „um zu" oder „zu"!

Überprüfe den Merkspruch an folgenden Sätzen:

1. Legati venerunt pacem petitum. 2. Hoc facile erat intellectu. 3. Milites veniunt imperatorem salutatum. 4. Ista vox erat facilis auditu. 5. Hoc difficilius est factu quam dictu.

e Der Kirchenvater Augustinus (um 400 n. Chr.) berichtet, wie er Alypius, einen seiner Schüler, vom „Wahnsinn der Spiele" (insania ludorum) abbringen konnte:

Quodam die, cum discipuli adessent, putavi reprehendendos esse eos, quos insania ludorum cepisset. Alypius gratias maximas egit, quod se quoque monuissem. Postea accidit, ut ille, qui vehementer resisteret, ab amicis in amphitheatrum duceretur. Ibi se absentem adesse Alypius affirmavit, quod animum suum convertere non posset in talia spectacula.

f Eine zynische Aussage: NIHIL (EST) TAM MUNITUM, QUOD NON EXPUGNARI PECUNIA POSSIT.

Eine berechtigte Frage: QUIS EUM DILIGAT, QUEM TIMEAT?

I

Der Kulturhistoriker J. Carcopino beschreibt das Treiben und die Atmosphäre im berühmten Circus maximus in Rom:

„Die römischen Zuschauer liebten die Wagnisse der Rennen. Sie wollten sich aufpeitschen lassen von den Spielen, die mit allem Drum und Dran ihre Spannung bis zum Wahnsinn erregten. Dazu gehörte das Stimmengewirr der Menge, in der einer den anderen mitriss, die pomphafte Umgebung, prickelnde Düfte, knisternde Toiletten, ... die leibhaftige Gegenwart des erhabenen Herrschers, die auf der Bahn zu überwindenden Hindernisse, der Kitzel der Gefahren, der Schneid der Sieger ... In der überfüllten cavea schwirrten die Gespräche zwischen Nachbarn und Nachbarinnen hin und her. Eng standen alle aneinander gedrängt und beredeten lebhaft die Hoffnungen und Aussichten. Das Gedränge beim Eintritt, bei dem der Zufall die Menschen mischte, bot mancherlei Reiz: für die Schönen, die nach einem Mann trachteten, und für die latin-lovers, die nach Abenteuern Ausschau hielten."

Wisst ihr, wie ich mir ein ideales Leben vorstelle?

FELIX Erstmal jeden Morgen lange schlafen. Wenn ich aufwache, scheint schon die Sonne; Regen gibt's nur selten, Schnee nur in den Bergen, damit man rodeln kann.

An Schule brauche ich nicht zu denken, weil sie längst abgeschafft ist. Das Frühstück wird mir natürlich ans Bett gebracht. Wenn ich dann aufgestanden bin, so um 11 Uhr, kann ich mir aussuchen, was ich machen will: spazieren gehen, Theater spielen, lesen oder einfach überhaupt nichts tun; denn im Hause brauche ich nicht zu helfen, und niemand meckert, wenn ich mein Zimmer nicht aufgeräumt habe.

Wenn ich das Radio einschalte, senden sie meine Lieblingsmusik. Im Fernsehen wird jeden Tag ein toller Abenteuerfilm gezeigt. Auch Meldungen über Krieg, Mord und Totschlag oder Naturkatastrophen gibt es nicht. So möchte ich leben!

- Ich wundere mich nur, warum unsere Politiker noch keinen solchen Staat gegründet haben. Wahrscheinlich sind die meisten von ihnen ziemlich verknöchert, denken immer nur in eine Richtung und beachten die Interessen von uns jungen Leuten nicht genug.

- Wenn wir das ändern wollen, müssen gerade wir uns mehr für Politik interessieren. Aber dann könnten wir natürlich nicht den halben Tag verschlafen.

FELIX Hm. Über das Problem muss ich noch weiter nachdenken ...

Politik und Utopie

Aufgaben

(a) Was hältst du von der Beteiligung am politischen Leben?

(b) Versuche dir Informationen über das 'Schlaraffenland' zu beschaffen und berichte in deiner Klasse, was du gefunden hast.

(c) Projekt:
Erkundet die Vorstellungen der Leute vom idealen Leben, zum Beispiel in Form einer Umfrage oder einer Podiumsdiskussion.

1. Scriptores tradunt:	Octavianus rem publicam arripuit. Octavianum rem publicam arripuisse.
2. Octavianus affirmavit:	Se rem publicam (eam/illam) restituisse.
3. Multi cives exsultant:	Se nunc pace frui posse, quia Octavianus bellum civile finiverit.
4. Scriptores affirmaverunt:	Octavianum pacem restituisse, quia bellum civile finivisset.

Politik - nichts für Philosophen?

In den Jahren 1497–1504 unternahm der Italiener Amerigo Vespucci vier Entdeckungsreisen nach Amerika. Auf seiner dritten Reise hatte er bereits festgestellt, dass das entdeckte Land keine Insel, sondern ein neuer Kontinent war. Die vierte Reise führte ihn 1503/04 nach Brasilien. An dessen Ostküste ließ er schließlich vierundzwanzig Reisebegleiter zurück, die dort eine Kolonie gründen wollten.
Vespuccis Reiseberichte wurden 1507 in lateinischer Sprache unter dem Namen Americus Vesputius veröffentlicht. Dadurch wurde er so berühmt, dass man den gesamten Kontinent nach ihm benannte. Einer von Vespuccis Begleitern soll Raphael Hythlodaeus gewesen sein. Mit ihm unterhält sich der englische Humanist Thomas Morus in seinem fiktiven staatsphilosophischen Dialog „Utopia" über Möglichkeiten, auf die Politik der Herrschenden Einfluss zu nehmen.

Raphael, cum potentiae cupidus non esset, neque regi neque principi cuidam auxilio esse voluit.

Cui Morus obiecit: Se a tali consilio dissentire. Quem enim non ignorare eum prudentius de re publica administranda loqui posse quam plerosque, qui nunc in concilio regis adessent?

Raphael respondit: Morum vehementer errare. Se nulli principi in ulla re usui esse, quod principes saepius militaribus studiis occuparentur quam consiliis de pace capiendis. Se autem neque cupidine bella gerendi neque ambitione duci.

Et perrexit: Quae cum ita essent, Platonem, illum nobilissimum philosophum, fabula quadam exposuisse, cur multi viri sapientes a capessenda re publica abstinerent.

Deinde Raphael explicat: „Sapientes, cum populum in viis assidue imbribus obrui[1] vident, hominibus persuadere conantur, ut celeriter ab imbre recedant tectaque subeant. Sed frustra verba consumunt. Itaque ipsi in publicum prodire nolunt, quod cognoverunt se nihil profuturos esse, si exeant. Nolunt una cum istis madefieri[2]. Quoniam alienae stultitiae[3] omnino mederi[4] non possunt, ipsi quidem in sicco[5] et tuto esse volunt."

1 ob-ruere *überschütten* 2 made-fierī *nass werden* 3 stult-itia
4 medēri *(m. Dat.) heilen, helfen gegen* 5 in siccō *im Trockenen*

a) Verwandle die Aussagesätze der wörtlichen Rede Raphaels (Z. 12-17) in die Oratio obliqua, indem du die Subjekte in den Akkusativ und die Prädikate in den Infinitiv setzt. Wo musst du zusätzlich Pronomina im Akkusativ einfügen?

(b) Versuche, die „fabula Platonis" zu erklären, indem du erläuterst, was mit „Volk", „Regen" usw. gemeint ist.

(c) Richtig oder falsch? Welche der Aussagen über den Inhalt von L treffen zu?

Ex his, quae Raphael et Morus disputant, accipimus …

1. Morum cum Amerigo Vesputio sermonem habuisse.
2. Raphaelem principibus adesse, quod semper militaribus studiis occupentur.
3. Platonem fabulam narravisse, qua sapientes populum docerent.
4. Platonem exposuisse, cur philosophi a re publica abstinerent.
5. controversiam fuisse, utrum sapientes rei publicae consulere deberent.
6. Raphaelem cuidam regi auxilio esse voluisse.

Thomas Morus (1478-1535)

(d) Eine Standpauke wegen Befehlsverweigerung.
Überprüfe, auf welche Person(en) sich die Pronomina in der Rede des Feldherrn beziehen und übersetze:

Imperator milites accusavit:
Se mirari, quod imperia sua neglegerent. Illos sibi confiderent et potius suam sententiam sequerentur. Ipsi quidem persuasum esse se suo consilio eorum timorem pulsurum esse.

(e) Suche aus dem folgenden englischen Text möglichst viele Wörter heraus, die eine lateinische Wurzel haben:

Marco Polo was an Italian traveller, whose descriptions of his journeys and of his experiences in the vast dominion of the emperor Kublai are most interesting … Marco reports that he made rapid progress in the Great Khan's favour. He studied the Mongol language and was entrusted by the emperor with various missions to different parts of the huge empire. Marco made careful notes of his itineraries, the state of the cities, the customs of the people and their products. Finally they obtained permission from the emperor to return to Venice, where they arrived in 1295.

1. Raphael exposuit philosophos quosdam haec deliberare: Quid philosophia in re publica prodesset? Cur sapientes ad rem publicam accederent?
2. Se ipsum autem sapientes hortari: A re publica capessenda abstinerent! Ne principes adiuvarent!

Ist gemeinsamer Besitz utopisch?

Raphael gehörte nach der Darstellung des Thomas Morus zu den in der vorigen Lektion erwähnten vierundzwanzig Kolonisten; er blieb jedoch nicht in Brasilien, sondern kehrte über Indien nach Europa zurück. Auf dieser langen Reise hatte er Gelegenheit, viele bisher unbekannte Länder und Völker kennenzulernen. Dabei kam er angeblich auch – irgendwo im Indischen Ozean – in das Land Utopia.
Er berichtet von diesem Land und der dort herrschenden Auffassung von einer Beteiligung am politischen Leben. Er ist der Meinung, dass eine gerechte und glückliche Politik nicht möglich sei, solange es noch Privatbesitz gebe, d.h. solange alles am Wert des Geldes gemessen werde.

Raphael haec locutus est: Se ipsum rogare, num rebus privatis omnino opus esset, ut homines feliciter viverent. Ut Morus facilius hoc intellegeret, se omnia breviter et quam verissime expositurum esse: Cives Utopiae consecutos esse, ut opes aeque inter omnes distribuerentur, quamvis haud facile hoc impetrari posset. Illos abundantia[1] omnium rerum uti, cum nihil privati apud eos esset. Se enim censere salutem publicam effici posse, si rebus propriis sublatis cives in summa aequitate viverent.

Et Raphael adiecit: Solam enim eam civitatem, in qua omnes summo studio publicis negotiis se darent, iuste et merito rem publicam nominari.

Tum Morus, cum verbis illius vehementer permotus esset, quiete atque comiter intervenit: Contra[2] sibi videri ibi numquam commode vivi posse, ubi omnia essent communia. Raphael hoc quoque deliberaret: Quomodo copia rerum suppeteret, si unusquisque labores quam saepissime fugeret et alienae industriae confisus segnis[3] fieret? Nonne istam quidem vitam communem sine ullo pecuniae commercio maxime absurdam esse? Cur funditus[4] everteretur omnis nobilitas, magnificentia[5], splendor[6], maiestas, quae essent vera ornamenta civitatis? Se confiteri in Utopiensium re publica esse quasdam res, quae in nostris civitatibus deessent; tamen non omnibus assentiri, quae dicta essent.

1 ab-undantia uti *Überfluss haben* 2 contra *(Adv.) dagegen* 3 sēgnis *träge*
4 funditus *(Adv.) völlig* 5 māgni-ficentia *Pracht* 6 splendor *Glanz*

(a) 1. Fasse die unterschiedlichen Meinungen von Raphael und Morus über den Privatbesitz kurz zusammen.

2. Was könnte Morus mit quae in nostris civitatibus deessent (Z. 17f.) gemeint haben?

3. Diskutiert in der Klasse die in L angesprochenen kommunistischen Gedanken.

b Stelle aus E und L die Beispiele für Begehr- und Fragesätze in der indirekten Rede zusammen.

c Kurz vor Ausbruch des Bürgerkrieges stellt Cäsar Forderungen an seinen innenpolitischen Gegner Pompeius.
Caesar haec postulavit:
Proficisceretur Pompeius in suas provincias. Uterque exercitum dimitteret. Discederent in Italia omnes ab armis, metus e civitate tolleretur, omnis res publica senatui populoque Romano permitteretur.

d Cäsar – ein Zauderer oder ein um das Leben seiner Soldaten besorgter Feldherr?
Concurrebant legati et tribuni militum: Ne dubitaret proelium committere. Animos omnium militum paratos esse ad pugnandum.
Caesar autem in eam spem venerat se sine pugna rem conficere posse. Cur aliquos ex suis amitteret? Cur pateretur milites fortes fidosque vulnerari? Cur fortunam temptaret, praesertim cum non minus esset imperatoris consilio superare quam gladio?

e Thomas Morus nennt die Insel, auf der sein idealer Staat angesiedelt ist, „Utopia". Ermittle mit Hilfe eines Lexikons oder Fremdwörterbuches die Bedeutung von „Utopie". Grenze den Begriff von Science fiction ab.

I

Der Schriftsteller Stefan Zweig beschreibt in dem Buch 'Amerigo' das Leben Amerigo Vespuccis. Der folgende, leicht gekürzte Abschnitt daraus berichtet, welche Bedeutung dem Entdecker in einem geographischen Werk aus dem Jahre 1507 zugeschrieben wurde:
„Im zweiten Kapitel heißt es bei der Beschreibung der schon bekannten Welt, dass sie erst von Americo Vesputio wahrhaft zur Kenntnis der Menschheit gebracht worden sei.
Im fünften Kapitel wird er ausdrücklich als Entdecker dieser neuen Zonen anerkannt:
… et maxima pars Terrae semper incognitae nuper ab Americo Vesputio repertae.
Und plötzlich blitzt in dem siebenten Kapitel zum ersten Mal jene Anregung auf, die für Jahrhunderte bestimmend werden soll:
… quarta orbis pars, quam, quia Americus invenit, Americam nuncupare (nennen) licet.
Diese drei Zeilen sind der eigentliche Taufschein Amerikas."

Der uralte Traum von einem goldenen Zeitalter

Von paradiesischen Zuständen auf Erden träumten die Menschen schon immer: Vom Schlaraffenland, von der Insel Utopia oder von einem Land, in dem Milch und Honig fließen, war dann die Rede. Der Dichter Ovid hat die Idee von einem goldenen Zeitalter aufgegriffen; sie wird hier in Prosa nacherzählt:

Primo aetas aurea a deis sata est, in qua homines sine lege fidem et pietatem colebant. Poena metusque aberant nec verba minantia in tabulis[1], quae in publico collocatae erant, legebantur. Nec turba supplex timebat verba iudicis, sed homines sine patronis tuti erant.

Nec pinus[2] caesa erat nec naves fabricatae erant, ut homines orbem terrarum peregrinum viserent. Mortales nulla litora praeter sua cognoverant. Nondum fossae praecipites oppida cingebant, non tuba, non gladius erat. Sine militibus gentes otium molle securae peragebant.

Tellus ipsa, quae nondum arata[3] erat, per se frumentum et res ad vitam necessarias gignebat. Homines enim contenti erant cibis, qui sua sponte et nullo cogente creverant. Ver aeternum erat, venti placidi flores sine semine natos mulcebant[4]. Mox etiam tellus inarata[5] fruges ferebat. Flumina lactis atque nectaris[6] manabant.

---

1 tabulae: *Gesetze wurden in Rom auf ehernen Tafeln öffentlich aufgestellt; vgl. das Zwölftafelgesetz* 2 pīnus *f* *Pinie* 3 arāre *pflügen, bebauen*
4 mulcēre *sanft bewegen, streicheln* 5 in-arātus, a, um *ungepflügt, brach liegend*
6 nectar, nectaris *n* *Nektar, Göttertrank*

a 1. Welche vier Lebensbereiche spricht Ovid in seiner Darstellung des goldenen Zeitalters an? Finde dafür Oberbegriffe.

2. Sammle alle Verben, Adverbien und Bindewörter im Text, die einen Sachverhalt verneinen.

b Mit der Utopie von einer idealen Welt haben sich auch viele Maler auseinandergesetzt. Vergleiche die beiden Abbildungen.

Lucas Cranach d.Ä. (1472-1553): Das goldene Zeitalter
(München, Alte Pinakothek)

- Wie gehen Menschen und Tiere miteinander um?
- Worin sehen die Menschen ihr Lebensideal?
- Welche Bedeutung hat die Mauer im Hintergrund?
- Welche Rolle spielt die Natur in der dargestellten Welt?

Pieter de Brueghel d.Ä. (ca. 1525-1569): Das Schlaraffenland
(München, Alte Pinakothek)

- Worin sehen die abgebildeten Menschen ihr Lebensideal?
- Inwiefern weist das Bild märchenhafte Elemente auf?

Lucas Cranach d. Ä., Das goldene Zeitalter

Pieter de Brueghel d. Ä., Das Schlaraffenland

Am Ende der Zeitreise

- Longissimum hoc erat iter!
- Tibi assentior. Et interdum asperum ac difficile erat.

FELIX: Initio itineris nostri vobis dixi hoc non periculosum, sed laboriosum[1] futurum esse. Quod autem ad res hominesque pertinet, quos vidistis: Num plura vobis promiseram, quam praestiti?

- Minime, Felix! Dux bonus eras. Totum illud iter mihi valde placuit, Romanosque optime cognovimus. Non putavi incolas tot civitatum Europae tam diu Latine locutos esse. Quamquam vocabula[2] discere interdum mihi molestum erat, tamen intellexi multa verba aliarum linguarum a lingua Latina ducta[3] esse.

FELIX: Valde gaudeo, quod hoc dixistis. Sed quibus rebus, quaeso[4], quas in itinere nostro cognovimus, imprimis delectati estis?

- Mihi dies, quo Mogontiaci eramus et Rinoldum mercatorem vidimus, plurimum placuit. Quo die occasione hanc pulchram paenulam[5] emendi usus sum.
- Equidem eruptione[6] Vesuvii montis ita commota sum, ut metu mortis afficerer.
- Praeter ceteras res memoria teneo, quomodo urbs Roma condita sit. Anchises bonus vates erat, cum Aeneae filio futuras res Romanas monstravit.
- Meministisne eius diei, quo nos quoque magna voce Calvisium, istum calvum[7] senatorem, derisimus?
- Magno dolore affecta sum, cum fabulam de Orpheo et Euridica legimus. Cur ille oculos ad uxorem flexit, priusquam lucem solis vidit?
- Vehementer perterritus sum, cum audivimus Diocletianum Christianos tanta crudelitate oppressisse atque vexavisse. Quot homines pro fide sua mortui sunt!
- Imprimis nonnullorum clarorum Romanorum memini, velut Ciceronis, Caesaris, Augusti, Hadriani, Constantini.
- Quid vero? Estisne obliti Utopiae, novae rei publicae?
  Nonne in tali re publica vivere cupitis?

- Sed quid porro[8] sequitur, Felix? Putasne nos opera scriptorum Romanorum nunc legere posse?

FELIX: Perfecte[9] eruditi fortasse nondum estis. Librum autem parvum atque simpliciter scriptum iam hoc tempore legere poteritis. Cur id non temptatis?

---

1 labōri-ōsus *mühsam* 2 vocābulum *Vokabel* 3 dūcere ā *herleiten von*
4 quaesō *(ich) bitte* 5 paenula *Kapuzenmantel* 6 ēruptio, -ōnis *Ausbruch*
7 calvus *kahl, glatzköpfig* 8 porrō *(Adv.)* *weiter(hin), ferner*
9 perfectē *vollkommen*

Mihi persuasum est magistram vel magistrum vobis auxiliaturum esse, sicut ego in itinere vos adiuvi.

Sed nunc valete, amicae et amici!
Nam novos discipulos discipulasque comitari me oportet;
ad nova officia transibo.

Et
FELIX
TRANSIT.

Wortschatz und Grammatik

Liebe Schülerinnen und Schüler!
Der Wortschatz- und Grammatikteil ist im 3. Band eueres FELIX genauso übersichtlich angelegt, wie ihr es aus den ersten beiden Bänden gewohnt seid:
Die „Routen“ entsprechen den Sequenzen des Lektionenteils, und der Grammatikstoff ist wieder in drei Abteilungen gegliedert (**F**ormenlehre, **S**yntax, **T**extgrammatik). Auch der **W**ortschatz ist lernfreundlich angeordnet und bietet euch die bekannten zusätzlichen Hilfen (Kontext, Latein lebt und Wortfamilien).

Viel Erfolg beim Lernen wünscht euch euer Begleiter Grammadux!

Lest weiter auf S. 79!

Kursbuch-Hinweise

a) zum Wortschatz
Die lateinischen Wörter und Wendungen sind in der Reihenfolge angeordnet, wie sie in den Texten vorkommen.
Den Vokabeln sind in der Regel die folgenden „grammatischen Eigenschaften“ beigefügt:
- *Genusendungen* bei Adjektiven, *Genusangaben* (Kürzel) bei Substantiven der „dritten“ und der e-Deklination;
- *Genitive* (ausgeschrieben) bei Substantiven der „dritten“, der e- und u-Deklination sowie bei einendigen Adjektiven;
- *Stammformen* bei Verben mit „unregelmäßiger“ Perfektbildung (als „regelmäßig“ gelten das v-Perfekt der a- und i-Konjugation sowie das u-Perfekt der e-Konjugation).

Außerdem sind vom Deutschen abweichende *Kasusrektionen*, wichtige *Verbvalenzen* und *Kollokationen* sowie relevante *Kasusfragen* vermerkt.
In Kleindruck erscheinen:
- Wendungen mit bereits bekannten Vokabeln;
- Präsensformen und deutsche Bedeutungen bereits bekannter Verben, deren Stammformen nachgetragen werden;
- Namen am Ende der Wortschätze (vgl. Namenverzeichnis);
- geläufige englische Wörter, die auf Vokabeln des jeweiligen Wortschatzes zurückzuführen sind.

Die Auflistung der Wörter und Wendungen wird an mehreren Stellen ergänzt durch:

- „Latein lebt“: Hier werden (exemplarisch) Hinweise zur kulturellen Bedeutung der lateinischen Sprache und zur Vielfalt des Weiterlebens in modernen Sprachen gegeben.
- „Kontext“: Hier werden (exemplarisch) Vokabeln, die stark voneinander abweichende Bedeutungen haben und/oder unterschiedlich konstruiert werden können, in kurzen, einprägsamen Sätzen vorgeführt.
- „Wortfamilien“: Hier werden (exemplarisch) Wortbildungselemente und etymologische Zusammenhänge verdeutlicht.
- Sachfelder und/oder Abbildungen, die den gedanklichen Zusammenhang der Wörter verdeutlichen und/oder durch Visualisierung veranschaulichen sollen.

Diese Ergänzungen – sie können nach dem Wortschatz- oder nach dem Grammatikteil stehen – sind Lernhilfen, die auch der Motivation und Vertiefung dienen. Da die Kenntnis dieser exemplarisch gebotenen Elemente im Lateinbuch nicht vorausgesetzt wird, sind sie einheitlich markiert.

b) zur Grammatik

Der zweite Teil dieses Buches ist als reine Begleitgrammatik konzipiert, d.h. sie richtet sich in jeder Hinsicht nach der Progression des Lernstoffes.

Die Person des Grammadux dient der Auflockerung und fungiert, ebenso wie Felix bei der Zeitreise, als Bezugsperson bei der Reise durch die grammatische Landschaft.

Die grammatischen Erläuterungen sind strikt auf das Notwendige und für den Schüler Wichtige beschränkt, wobei das Leseverstehen und die Sprachreflexion als Hauptziele des Unterrichts das wesentliche Kriterium für die Auswahl darstellten.

In den einzelnen Kapiteln sind die Erläuterungen gegliedert nach Formenlehre (**F**), Syntax (und / oder Semantik) (**S**) und Textgrammatik (**T**).

Gelegentlich werden diese Erläuterungen durch Zusatzhinweise (Grammadux) ergänzt. Einige sogenannte Haltepunkte dienen der Zusammenfassung und Vertiefung.

Zu **F**

Alle neuen Flexionsformen werden beim jeweiligen Kapitel so ausführlich wie nötig vorgestellt, d.h. die Schüler und Schülerinnen können die nicht abgedruckten Formen selbstständig und richtig erschließen. Die Tabellen im Tabellarium (S. 174ff.) sollen einen zusammenfassenden Überblick ermöglichen.

Zu **S**
Die Verwendung neuer Formen sowie andere syntaktische Erscheinungen werden hier in der Regel in induktiver Weise an Beispielsätzen erläutert. Dabei sind die Beispielsätze – soweit es der jeweilige Grammtikstoff erlaubt – so konzipiert, dass die Grammatik auch vor der Behandlung des Lesestücks besprochen werden kann, da Wortschatz und Thematik von vorhergehenden Lektionen bekannt sind.

Zu **T**
Diese Abschnitte sollen den Schülern und Schülerinnen deutlich vor Augen führen, dass sie es nicht nur mit einzelnen Wörtern, Formen und Sätzen, sondern mit inhaltlich sinnvollen Texten zu tun haben und dass der Kontext eine wesentliche Rolle beim Verstehen einzelner Begriffe und Sätze spielt. Zugleich werden ihnen Methoden an die Hand gegeben, mit deren Hilfe sie die Texte leichter entschlüsseln können.

Zu den **Zusatzhinweisen** (mit Grammadux-Symbol)
Die Zusatzhinweise machen die Schüler auf spezielle Schwierigkeiten des jeweiligen Grammtikstoffes aufmerksam und zeigen aus der Sicht des Praktikers Wege zu ihrer Bewältigung.

Zu den **Haltepunkten**
Die Haltepunkte bieten in Dialogform zusammenfassende Übersichten über wichtige grammatische Phänomene, deren Durchnahme in verschiedenen Kapiteln erfolgte. Manchmal dienen sie auch der Vermittlung von Übersetzungstechniken.

Zu **„Wo geht die Reise hin?“**
Diese Wegweiser wenden sich primär an die Schüler und Schülerinnen. Sie sollen den Grammatikteil mit den Sequenzen des Lateinbuchs verklammern und dadurch den oft entmutigenden Eindruck eines endlosen Fortgangs des Grammatikkurses vermeiden. Bewusst sind sie exemplarisch, offen oder sogar paradox formuliert, um Neugier zu wecken.
Die Lehrkraft kann sich durch die Wegweiser zur Ausrichtung des Unterrichts und der Lernzielkontrolle auf bestimmte grammatische Schwerpunkte, Sachfelder und Textsorten anregen lassen.

Route 12

Kap. 74-78: Erziehung und Bildung

Grammatische Schwerpunkte:

❍ Konjunktive im Hauptsatz
(Was *könnten* wir heute tun? Was *soll* ich nur machen?)

❍ nd-Formen
(Vorsicht, wieder eine - häufig gebrauchte - lateinische Eigenbildung, die keine Entsprechung im Deutschen hat! Vergleichbar: Grammadux hilft uns bei der mühsamen Arbeit des *Lernens*. Der *zu lernende* Stoff *muss* oft *wiederholt werden*.)

❍ Merke: Der AcI, der Abl. abs. und die nd-Formen sind drei wichtige und schwierige lateinische Konstruktionen, die sehr oft vorkommen und meistens nicht wörtlich wiedergegeben werden können.

Sachfelder:

❍ Bildungsinhalte, Schule, Erziehungsziele und -mittel

Textsorten:

❍ eine briefliche Anweisung
❍ Dialoge („Colloquien") zwischen Gleichgestellten und Ungleichen (zum Lesen mit verteilten Rollen!)
❍ Anstandsregeln, Sentenzen und Lieder

Quellen:

❍ Quintilian, ein Professor für Redekunst im alten Rom, sowie Erasmus von Rotterdam, ein weltbekannter Humanist zur Zeit der Reformation

perītus, a, um *(m. Gen.)*	erfahren, geschickt (in)
cōpiōsus, a, um	reich, wortreich
impendere, impendō, impendī, impēnsum	aufwenden, ausgeben
tempus impendere ad *m. Akk.*	Zeit aufwenden für
multum temporis	viel Zeit
patrius, a, um	väterlich
sermō, sermōnis *m*	Sprache, Gespräch
sermōnem habēre	ein Gespräch führen
occāsiō, occāsiōnis *f (m. Gen.)*	Gelegenheit (zu)
omittere, omittō, omīsī, omissum	unterlassen, verstreichen lassen
ērudīre	unterrichten, (aus)bilden
monastērium	Kloster
abbās, abbātis *m*	Abt
ferē *Adv.*	ungefähr, fast
error, errōris *m*	Irrtum, Fehler
dīvīnus, a, um	göttlich, heilig
perīculōsus, a, um	gefährlich
idōneus, a, um	geeignet
ēligere, ēligō, ēlēgī, ēlēctum	auswählen
ērudītiō, ērudītiōnis *f*	Erziehung, Bildung
voluntās, voluntātis *f (m. Gen.)*	Wille, Absicht (zu)
īnstruere, īnstruō, īnstrūxī, īnstrūctum	aufstellen, ausstatten; unterrichten
Latīnus, a, um	lateinisch

copious, patriot, occasion, study, monastery, error, divine, elect, instruct

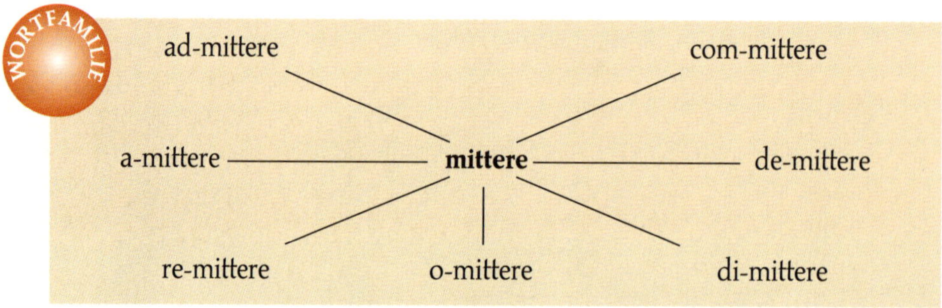

nd-Formen: Gerundium

Nom.	vocāre	rufen / (das) Rufen	a-Konjugation
Gen.	voca-**nd**-ī	des Rufens	
Dat.	voca-**nd**-ō	dem Rufen	
Akk.	ad voca-**nd**-um	zum Rufen	
Abl.	voca-**nd**-ō	durch Rufen	

monē-re	mone-**nd**-ī	usw.	e-Konjugation
audī-re	audi-e-**nd**-ī	usw.	ī-Konjungation
ag-ĕ-re	ag-e-**nd**-ī	usw.	kons.
capĕ-re	capi-e-**nd**-ī	usw.	Konjugation

Wie im Deutschen und Englischen kann man auch im Lateinischen Verben zu Substantiven machen und deklinieren. Für den Nominativ gibt es im Lateinischen keine eigene Form, stattdessen wird der Infinitiv verwendet. Die Verwendung des Infinitivs statt eines substantivierten Verbs ist auch im Deutschen und Englischen möglich:

Infinitiv	substantiviertes Verb
Es macht Spaß *zu lesen*.	*(Das) Lesen* macht Spaß.
To read is fun.	*Reading* is fun.
Legere delectat.	—

Die anderen Kasus des Gerundiums werden dadurch gebildet, dass an den Präsensstamm der Verben (der bei der ī- und kons. Konjugation durch den Bindevokal -e- erweitert wird) **-nd-** angefügt wird, worauf die Kasusendungen der o-Deklination folgen.

Verwendung des Gerundiums

a) Erscheinungsform

Occasio discendi tibi est.
Du hast die Gelegenheit zu lernen.

Studiosus discendi es.
Du bist eifrig bemüht zu lernen.

Liberi ad discendum conveniunt.
Die Kinder kommen zum Lernen zusammen.

Docendo discimus.
Durch Lehren lernen wir.

Der Genitiv des Gerundiums kommt nach bestimmten Substantiven (z. B. occasio, spes) und Adjektiven (z. B. studiosus) vor. Der Akkusativ steht nur nach der Präposition ad; der Dativ ist selten.

Occasio libros in bibliotheca legendi tibi est.
Du hast die Gelegenheit, die Bücher in der Bibliothek zu lesen.

Wie das Partizip weist auch das Gerundium Eigenschaften des Verbs auf und kann deshalb Objekte und adverbiale Bestimmungen bei sich haben. Ein erweitertes Gerundium ist als satzwertige Konstruktion aufzufassen.

b) Satzgliedfunktion

Das Gerundium kann verschiedene Satzgliedfunktionen wahrnehmen, z.B. steht es im Ablativ oder im Präpositionalausdruck als Adverbiale, im Genitiv als Attribut.

Liberi ad discendum conveniunt.

Subjekt —— Prädikat
Liberi conveniunt

Adverbiale
ad discendum

Occasio discendi tibi est.

Subjekt —— Prädikat
Occasio est

Attribut
discendi

tibi
(Präd. nom.)

c) Übersetzungsmöglichkeiten

occasio libros legendi
die Gelegenheit, Bücher zu lesen
die Gelegenheit zum Lesen von Büchern

Das Gerundium kann mit einem Infinitiv oder einem Substantiv wiedergegeben werden.

ad discendum convenire
zusammenkommen *zum* Lernen
(um zu lernen)

in discendo proficere
beim Lernen Fortschritte machen

Für die Übersetzung von nd-Formen nach Präpositionen gilt folgende Regel:

- ad und nd-Form: 'zu/zur/zum' und Substantiv
- in und nd-Form: 'bei/beim' und Substantiv

Latein lebt

Der lat. Name für „Zeitung" lebt heute noch fort: Aus den acta diurna (tägliche Geschehnisse) wurden im Laufe der Jahrhunderte über ein neugebildetes Adjektiv *diurnalis* (tagtäglich) das italienische Wort *giornale* und das französische *journal*.
Folgende Tageszeitungen und Zeitschriften kann man in Europa kaufen:
In Italien: *La Repubblica, Abitare, Domus* – In Spanien: *L'Observador, El Mundo* – In England: *Daily Express, Observer.* – In Frankreich: *Le Monde, L'Observateur, Libération, Humanité.*

quīcumque	wer auch immer; jeder, der
quisquis	jeder, der
ubicumque *Adv.*	wo auch immer
longum est	es würde zu weit führen
oportuit	es hätte sich gehört
crēdere, crēdō, crēdidī, crēditum	glauben, anvertrauen
agrestis, e	ländlich, bäurisch
ingenuus, a, um	anständig, edel, frei geboren
quotiēnscumque	wie oft auch immer
modestus, a, um	bescheiden, anständig
habitus, habitūs	Aussehen, Verhalten
modestia	Anstand, Bescheidenheit
prae *m. Abl.*	vor
prae sē ferre	(deutlich) zeigen
ineptus, a, um	unpassend, albern
mēnsis, mēnsis *m*	Monat
animum attendere (attendō, attendī, attentum)	aufpassen, beachten
decet, decuit	es passt, gehört sich
addere, addō, āddidī, ādditum	hinzufügen
vīsere, visō, visī	besuchen, besichtigen
concēdere, concēdō, concessī, concessum	erlauben, zugeben, nachgeben
stūdēre *m. Dat.*	sich bemühen um, streben nach
colloquium	Gespräch
Erasmus	Erasmus (von Rotterdam; Humanist)

credit, modest, habit, add, visa (Visum)

Latein lebt

Zu dem Substantiv **mensis** traten in römischer Zeit Adjektive, aus denen unsere Monatsnamen hervorgegangen sind. So hieß z. B. unser März (mensis) Martius. Er ist somit nach dem römischen Kriegsgott Mars benannt. Der Januar heißt nach dem Gott Janus, der nach vorn und hinten schaut, also doppelköpfig ist. Im Monat Juli erkennen wir Gaius Julius Caesar, im August natürlich Kaiser Augustus. Der September (von septem) war ursprünglich der siebte Monat, entsprechend wurden Oktober bis Dezember durchnummeriert.
Der Kalender ist ebenfalls ein lateinisches Wort, das einzige übrigens, das sich mit K schreibt (Kalendae, -arum). Auch sonst lebt Latein in modernen Zeitangaben: Sekunde, Minute, engl. hour, a. D. (anno Domini), a.m. und p.m. (ante und post meridiem).

F Verallgemeinernde Relativpronomina: quisquis, quicumque

a) quisquis **wer auch immer; jeder, der**

	m/f	*n*
Nom.	quisquis	quidquid

Quisquis es, lingua Latina tibi proderit.
Wer auch immer du bist, Latein wird dir nützen.

Das verallgemeinernde Relativpronomen quis-quis/quid-quid wird zumeist substantivisch verwendet. Es kommt fast nur im Nominativ vor.

b) quīcumque **wer auch immer; jeder, der**

	m	*f*	*n*
Nom.	quicumque	quaecumque	quodcumque

Quicumque linguam Latinam discit, multum discit.
Wer auch immer Latein lernt, lernt viel.

Carolus Magnus quacumque ratione eruditionem augere studebat.
Karl der Große bemühte sich, die Bildung auf jede (erdenkliche) Weise zu fördern.

Das verallgemeinernde Relativpronomen quicumque wird adjektivisch und substantivisch verwendet. An die Deklinationsformen des Relativpronomens qui, quae, quod (vgl. 15 F) wird -cumque angefügt.

S Realis

a) Multa narrare possum, sed taceo.
Ich könnte viel erzählen, aber ich schweige.

Multa narrare potui, sed tacui.
Ich hätte viel erzählen können, aber ich schwieg.

Im Allgemeinen wird der Indikativ im Lateinischen ebenso wie im Deutschen gebraucht, um auszudrücken, dass ein Sachverhalt wirklich zutrifft.

Bei Ausdrücken des Könnens, Sollens und Müssens kann sich der Sprachgebrauch jedoch unterscheiden; dem lateinischen Indikativ entspricht im Deutschen ein irrealer Konjunktiv. Solche Ausdrücke sind z. B.:

possum	ich könnte	aequum est	es wäre gerecht
potui	ich hätte ... können	longum est	es würde zu weit führen
debui	ich hätte ... müssen	difficile est	es wäre zu schwierig

b) Paene cecidi.
Ich wäre fast (beinahe) gefallen.

Diese unterschiedliche Verwendung der Modi kommt auch dann vor, wenn festgestellt wird, dass etwas beinahe geschehen wäre.

invītāre	einladen
vix quisquam	kaum jemand
permittere, permittō, permīsī, permissum	erlauben, überlassen
lēgātiō, lēgātiōnis *f*	Gesandtschaft
cōmitās, cōmitātis *f*	Freundlichkeit, Höflichkeit
discipulus	Schüler
grex, gregis *m*	Herde, Schar
hódiē *Adv.*	heute
prōmittere, prōmittō, prōmīsī, prōmissum	versprechen
cúpidus, a, um *m. Gen.*	begierig nach, eifrig in
dēcipere, dēcipiō, dēcēpī, dēceptum	täuschen
ergō *Adv.*	also
causā *nach Gen.*	um ... willen, wegen
quamvīs *m. Adj./Adv.*	wenn auch (noch so)
aegrē *Adv.*	mit Mühe
non multum āfuit, quīn *m.Konj.*	es hätte nicht viel gefehlt, dass
callidus, a, um	schlau
praedicāre	rühmen, preisen
mihī in mentem venit	mir kommt in den Sinn

invite, negate, negative, permit, promise, exit, school, predicate

Kontext

Hic vir iuris peritus est.	Dieser Mann ist rechtskundig (im Recht erfahren).
Ille homo gloriae cupidus est.	Jener Mensch ist ruhmsüchtig (begierig nach Ruhm).
Rei publicae causa hoc facimus.	Wir tun dies des Staates wegen (um des Staates willen).
Discendi causa adsumus.	Wir sind da, um zu lernen (um des Lernens willen).
Homo quamvis callidus non omnia discere potest.	Ein noch so schlauer Mensch kann nicht alles lernen.

Konjunktiv im Hauptsatz: Potentialis, Deliberativ

Die folgenden Konjunktive stehen in Aussage- bzw. Fragesätzen.

a) Potentialis

Quis hoc dubitet?
Wer *könnte* daran zweifeln?
Wer *dürfte* daran zweifeln?

Hoc nemo credat/crediderit.
Das *dürfte* keiner glauben.
Das glaubt *wohl* keiner.

Der **Konjunktiv Präsens** bzw. **Perfekt** kann im Hauptsatz dazu dienen, eine Aussage als möglich zu charakterisieren bzw. in ihrer Gültigkeit abzuschwächen. Beide Tempora drücken den **Potentialis der Gegenwart aus.**
Zur Wiedergabe im Deutschen eignen sich Formulierungen mit 'könnte', 'dürfte' oder 'wohl'.

Hoc numquam crederes.
Man *hätte* (du *hättest*) dies niemals glauben *können*.

Der **Konjunktiv Imperfekt** drückt den **Potentialis der Vergangenheit** aus.

b) Deliberativ

Quid faciam?
Was *soll* ich tun?

Quid facerem?
Was *hätte* ich tun *sollen*?

In einer Wortfrage dient der Konjunktiv (meist der 1. Pers.) zum Ausdruck der Überlegung bzw. Unentschlossenheit (**Deliberativ**). Zur Wiedergabe im Deutschen eignet sich die Umschreibung mit „sollen".

Der **Deliberativ der Gegenwart** steht im **Konjunktiv Präsens**,
der **Deliberativ der Vergangenheit** im **Konjunktiv Imperfekt**.

Latein lebt

Latein lebt natürlich auch in der **Schule** (schola).
Die Schüler und Schülerinnen werden in *Klassen* eingeteilt. Diese wurden früher sogar lateinisch durch*nummeriert*: Die Anfänger am Gymnasium (urspr. griech.) gingen in die *Sexta*, dann kamen *Quinta*, *Quarta*, Unter*tertia* usw. Die *Abiturienten* hießen Ober*primaner*; noch heute erwerben sie in Österreich die *Matura* (Reife).
Schüler und Schülerinnen stöhnen oft unter einem schwierigen *Pensum*. Sie müssen *addieren*, *subtrahieren*, *multiplizieren*, *klassifizieren*, *strukturieren* und vieles mehr. Wenn sie keine *Disziplin* hielten, warf man sie früher in den *Karzer*, das Schulgefängnis.
Einen Lehrer nennt man heute noch *Magister*. Der Ober*studiendirektor* ist wörtlich der Leiter des Lernbetriebs, die *Sekretärin* hütete ursprünglich gewisse Geheimnisse (secreta). Sympathisch ist, dass die lateinische Sprache uns auch die *Pause* (pausa) und die *Ferien* (feriae) beschert hat.

currus, currūs	Wagen, Streitwagen
currus commūnis	„Omnibus“
plūrimum *Adv.*	sehr viel, am meisten
incipere, incipiō, coepī, coeptum	anfangen, beginnen
praeceptor, praeceptōris *m*	Lehrer
équidem *Adv.*	(ich) freilich, allerdings
dissentīre ā *m. Abl.*	jem. nicht beistimmen
ūnusquisque, ūnīuscuiusque	jeder einzelne
cōnsulere, cōnsulō, cōnsuluī, cōnsultum	*m. Dat.* sorgen für *m. Akk.* um Rat fragen
māiōrēs, māiōrum *m*	die Vorfahren
prōdere, prōdō, prōdidī, prōditum	überliefern, verraten
prōvidēre, prōvideō, prōvīdī, prōvīsum	*m. Dat.* sorgen für *m. Akk.* vorhersehen
nocēre	schaden
brevis, e	kurz
scientia	Kenntnis, Wissen
quod *Subj. m. Ind.*	dass; weil
dūcere *m. dopp. Akk.*	halten für
īgnōminia	Schande
Quintilianus	Marcus Fabius Quintilianus (Redelehrer)

expose, dissent, consult, corrupt, mayor, provide, brief, science

Kontext

Dominus servo male *consuluit* (*providit*).	Der Herr *sorgte* schlecht *für* seinen Sklaven.
Dominus amicum *consuluit*.	Der Herr *fragte* seinen Freund *um Rat*.
Dominus calamitatem *providit*.	Der Herr *sah* das Unglück *voraus*.

Parentes diligo, *quod* (quia) bene mihi consulebant.
Ich schätze meine Eltern, *weil* sie gut für mich sorgten.

Gaudeo, *quod* pater me laudavit.
Ich freue mich darüber, *dass* mich mein Vater gelobt hat.

(Id) probo, *quod* dixisti.
Ich billige (das), *was* du gesagt hast.

nd-Formen: Gerundivum

liber lege**nd**us
ein Buch, das gelesen wird
ein lesenswertes Buch

libri lege**nd**i
Bücher, die gelesen werden
lesenswerte Bücher

Das Gerundivum kann alle Formen eines Adjektivs (der a- und o-Deklination) bilden. Es wird ebenso wie das Gerundium mit **-nd-** gebildet.

nd-Formen: Attributives Gerundivum

a) Erscheinungsform und Übersetzung

Das attributive Gerundivum kann – wie ein Adjektiv – in allen Kasus vorkommen und stimmt nach der KNG-Regel mit einem Bezugswort überein. Der Nominativ ist selten.

Nominativ:	liber legendus ein Buch, das gelesen wird ein lesenswertes Buch
Genitiv:	Mihi occasio libri legendi data non est. Ich hatte keine Gelegenheit zum Lesen des Buches.
	Libri legendi cupidus sum. Ich bin neugierig darauf, das Buch zu lesen.
Dativ:	Libro legendo operam dedi. Ich habe auf das Lesen des Buches Mühe verwandt.
Akkusativ: (nach Präp.)	Hic locus ad librum legendum aptus non est. Dieser Platz ist nicht geeignet, um ein Buch zu lesen.
Ablativ:	Libro legendo multa didici. Durch die Lektüre des Buches habe ich viel gelernt.
Ablativ: (nach Präp.)	In libro legendo saepe ridebam. Bei der Lektüre des Buches lachte ich häufig.

Wie die Beispiele zeigen, ist eine wörtliche Übersetzung des Gerundivums im Allgemeinen nicht möglich. Bei der Wiedergabe im Deutschen verwendet man meistens Substantive oder Infinitivkonstruktionen.

Ein attributives Gerundivum im Nominativ kann durch Adjektive auf '-wert' oder '-lich' wiedergegeben werden, z. B.:

legendus lesenswert non ferendus unerträglich

Bei der Wiedergabe der anderen Kasus wird oft die Gerundivform im Deutschen zu einem Substantiv, von dem dann das Bezugswort abhängt, z. B.:

libro legendo

durch die Lektüre des Buches

b) Das attributive Gerundivum als satzwertige Konstruktion

Librum legi: multa didici. Ich habe das Buch gelesen. Ich habe (dadurch) viel gelernt.	Librum legendo multa didici. (Gerundium) Libro legendo multa didici. (attrib. Gerundivum) Durch die Lektüre des Buches habe ich viel gelernt.

Man kann ein attributives Gerundivum mit Bezugsnomen ebenso wie das erweiterte Gerundium als eigenständigen Aussagesatz verstehen, der als satzwertige Konstruktion in einen anderen Satz „eingebettet" wurde.
Beide Konstruktionen haben die gleiche Bedeutung und können in gleicher Weise übersetzt werden.

c) Satzgliedfunktion

Auch das attributive Gerundivum mit Beziehungsnomen kann verschiedene Satzgliedfunktionen wahrnehmen, z. B. steht es im Genitiv als Attribut, im Ablativ oder Präpositionalausdruck als Adverbiale.

Latein lebt

Formen des lateinischen Partizip Präsens und des Gerundivums leben in vielen Fremdwörtern und Namen der deutschen Sprache weiter:
Absenten-Heft – Absolvent – Adjutant – Agenda – Agent – Amanda – Ambulanz – Demonstrant – Denuntiant – Deponens – Dezernent – Differenz – Dividende – Dozent – Eminenz – Ignoranz – Intelligenz – Kadenz – Karenz – kohärent – Konferenz – Konfirmand – Konkurrenz – Konsequenz – Korrespondent – Kreszentia – Legende – Mandant – Minuend – Monenda – Monstranz – Patient – Proband – provokant – Regent – Repetent – resistent – Rezipient – Sequenz – signifikant – Student – Subtrahend – Tangente – tolerant – Vinzenz

explōrāre	erforschen
dīligēns, dīligentis	sorgfältig
graviter ferre *(m. Akk.)*	ungern ertragen, sich ärgern (über)
continēre	zusammenhalten, zurückhalten
dictum *Subst.*	Wort, Ausspruch
opprimere, ópprimō, oppressī, oppressum	unterdrücken, überfallen
rēicere, rēiciō, rēiēcī, rēiectum	zurückweisen
libenter *Adv.*	gern
ultrō *Adv.*	von selbst
vidēre, ut *m. Konj.*	zusehen, dass; beachten, dass
dīversus, a, um	verschieden
percipere, percipiō, percēpī, perceptum	erfassen, aufnehmen
varíetās, varietātis *f*	Abwechslung, Verschiedenheit
reficere, reficiō, refēcī, refectum	wieder herstellen, neu beleben
absēns, absentis	abwesend
minuere, minuō, minuī, minūtum	vermindern, schwächen
sānus, a, um	gesund

explore, diligent, contain, oppress, reject, diverse, perceive, variety

Latein lebt

Nicht nur der deutsche Wortschatz ist von lateinischen Lehn- und Fremdwörtern durchsetzt, auch unser Satzbau (die Syntax) zeigt noch **Latinismen**, Anklänge an das Lateinische. Latinismen gebrauchen wir oft unbewusst, sie sind übrigens keineswegs immer gutes Deutsch.

Ein Beispiel dafür sind nd-Formen: War nicht die Bezeichnung „Lehrling" wohlklingender als der Latinismus „Auszubildender" (Azubi)? Gerundive sind ziemlich häufig, etwa: „Das ist eine nicht zu ertragende sprachliche Missbildung."

Für den Abl. abs., wohl die typischste lateinische Konstruktion, haben wir ebenfalls nur unschöne Entsprechungen, z.B. „Kaum gehört, stürzte er aus dem Zimmer." Klingt nicht dagegen der folgende AcI wie flüssiges Deutsch: „Sie hört das Gras wachsen" ?

Besonders starken Einfluss hatte die römische Redekunst (Rhetorik) auf unsere Sprache. Viele Generationen schulten sich am Stil Ciceros: seine langen Satzperioden und viele seiner rhetorischen Tricks wurden nachgeahmt. Für alle lateinischen Stilmittel lassen sich deutsche Entsprechungen finden.

nd-Formen: Prädikatives Gerundivum

a) Erscheinungsform und Übersetzung

Hic liber legendus est.	*Hi libri legendi non sunt.*
Dieses Buch muss gelesen werden	Diese Bücher dürfen nicht gelesen werden.

Das prädikative Gerundivum bezeichnet eine Handlung, die ausgeführt werden muss/soll bzw. nicht ausgeführt werden darf. nd-Formen transitiver Verben stehen dabei mit ihrem Bezugswort in KNG-Kongruenz, d.h. sie werden „persönlich“ konstruiert.

Parend*um* est.	Fato parend*um* est.
Es muss gehorcht werden.	Dem Schicksal muss gehorcht werden.
Man muss gehorchen.	*Man* muss dem Schicksal gehorchen.

Wird das Gerundivum ohne ein Bezugswort verwendet, so steht es im Neutrum Singular, d.h. es wird „unpersönlich“ konstruiert. Eine Ergänzung steht in dem Kasus, den das Verb auch sonst erfordert (hier: Dativ nach parēre).

b) Dativus auctoris

Hic liber *tibi* legendus est.
Dieses Buch ist *von dir* zu lesen.
Du musst dieses Buch lesen.

Die Person, von der die Handlung ausgeführt werden muss/soll, steht im Dativus auctoris (Dativ des Urhebers).

c) Satzgliedfunktion

Hic liber *legendus est.*	Librum tibi *legendum do.*
Dieses Buch *muss gelesen werden.*	*Ich gebe* dir das Buch *zum Lesen.*

Zusammen mit einer Form von esse erfüllt das Gerundivum als Prädikatsnomen die Satzgliedfunktion Prädikat.
Bei manchen Verben (v.a. übergeben, überlassen, schicken, übernehmen) steht das Gerundivum auch als Prädikativum; es drückt den Zweck der Handlung aus (‘zum’, ‘zur’, ‘zu’ ...).

d) Gerundivum im AcI

Omnes putant liberos *erudiendos esse.*
Alle glauben, dass Kinder *erzogen werden müssen.*

Scimus iniuriae *resistendum esse.*
Wir wissen, dass man *sich* dem Unrecht *widersetzen muss.*

Das Gerundivum mit esse tritt häufig im AcI auf; auch dabei kann es persönlich oder unpersönlich konstruiert werden.

Haltepunkt 8: Satzglieder

Gr. Nun hast du neben vielen Wörtern und Formen auch die wichtigsten syntaktischen Erscheinungen kennen gelernt, die für die lateinische Sprache charakteristisch sind, nämlich den AcI, die Partizipialkonstruktionen und die nd-Formen. Das scheint mir wirklich ein passender Moment, um wieder einmal einen Haltepunkt anzusteuern.

➤ Haltepunkt ist immer gut. Was willst du mir denn diesmal zeigen?

Gr. Du erinnerst dich doch an die Satzmodelle, die hie und da vorkamen, um die Struktur eines Satzes anhand der Satzglieder zu verdeutlichen?

➤ Ja natürlich.

Gr. Ich möchte mit dir noch einmal durchgehen, was du dabei schon alles gelernt hast.

Zuerst sprechen wir über die **Bedeutung des Prädikats**.

Das Prädikat ist Dreh- und Angelpunkt eines jeden Satzes. Es legt fest, welche weiteren Glieder in einem Satz vorkommen.

Manchmal ist ein Satz bereits vollständig, wenn er nur aus Prädikat und Subjekt besteht, z. B.

Magister ridet.	Der Lehrer lacht.

Im Lateinischen kann das Subjekt sogar im Prädikat enthalten sein, z. B.

Ridet.	Er lacht.

Viele Verben erfordern jedoch ein Objekt, z. B. laudare:

Magister discipulum laudat.	Der Lehrer lobt den Schüler.

Bei manchen müssen sogar zwei Objekte stehen, z. B. bei mandare:

Pater magistro filium mandat.	Der Vater vertraut dem Lehrer seinen Sohn an.

➤ Und wenn diese Objekte fehlen, dann ist der Satz nicht vollständig?

Gr. Genauso ist es. Der Hörer oder Leser vermisst dann etwas; das ist wie im Deutschen.

Das Verb legt fest, wie viele und welche Ergänzungen stehen; diese Eigenschaft des Verbs nennt man **Valenz** (valere!).

➤ Und was habe ich davon, wenn ich das weiß?

Gr. Dann kannst du die Konstruktion eines Satzes leichter durchschauen und z. B. die einzelnen Kasus besser zuordnen.

In welchem Verhältnis stehen nun die anderen Satzglieder zum Prädikat?
Subjekt und Prädikat stehen in **Kongruenz** zueinander, was im Satzmodell durch einen waagerechten Strich deutlich gemacht wird.
Objekte und Adverbialien hängen vom Prädikat ab. Dieses Abhängigkeitsverhältnis nennt man **Dependenz** (de-pendere!); es wird im Satzmodell mit Strichen dargestellt, die vom Prädikat schräg nach unten gehen.

Unser Beispielsatz sieht im Modell also folgendermaßen aus:

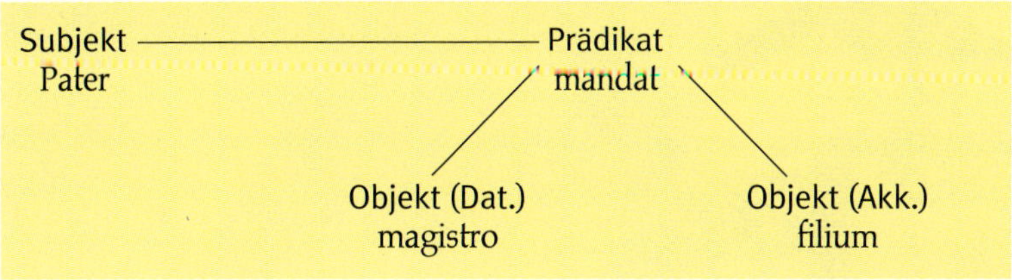

➤ Das war mir soweit schon klar, doch was bedeuten die unterbrochenen Striche, die manchmal vorkommen?

Gr. Mit diesen Strichen werden Satzglieder angebunden, die man auch weglassen könnte; sie sind für die Vollständigkeit eines Satzes nicht erforderlich. Das sind die Adverbialien, die vom Prädikat abhängen, und die Attribute, die zu einem Nomen gehören.

➤ Diese Satzmodelle finde ich ganz gut, weil sie übersichtlich sind und zeigen, dass letztlich immer wieder die gleichen Satzglieder vorkommen.

Gr. Das ist ja auch der Sinn der Sache. Andererseits kennst du mittlerweile verschiedene Möglichkeiten, wie die einzelnen Satzglieder ausgedrückt oder „gefüllt“ werden können. Hier hast du eine Übersicht über wichtige **Füllungsarten**, die du schon kennst:

Subjekt

- Nomen im Nom. (Substantiv, Pronomen)
- Infinitiv, AcI
- Relativsatz im Ind.

Prädikat

- Vollverb
- Vollverb mit Prädikativum
- esse mit Prädikatsnomen (als Substantiv, Adjektiv oder Gerundivum)

Objekt

- Nomen (im Gen., Dat., Akk. oder Abl.)
- Präpositionalausdruck
- Infinitiv, AcI
- Relativsatz im Ind.

Adverbiale

- Adverb
- Substantiv (im Gen., Akk., Abl.)
- Präpositionalausdruck
- nd-Formen (im Abl., nach Präp.)
- Abl. abs.
- Participium coniunctum
- Gliedsatz (Adverbialsatz)

Attribut

- Nomen (in Kongruenz)
- Participium coniunctum
- nd-Formen (im Gen.)
- Relativsatz

➤ Ich hätte gar nicht gedacht, dass ich schon so viel weiß.

Route 13

Kap. 79-84: Germanien und Britannien

Grammatische Schwerpunkte:

- ❍ Steigerung der Adverbien
  (Lucius läuft *schnell*, Markus läuft *schneller*, *am schnellsten* läuft Felix.)

- ❍ Deponentien
  (Eine spezielle Sorte lateinischer Verben: sie haben passive Endungen, aber aktive Bedeutung.)

Sachfelder:
- ❍ Völkerkunde
- ❍ öffentliches und privates Leben in römischen Provinzen
- ❍ überregionaler Handel
- ❍ Krieg und Politik

Textsorten:
- ❍ ethnographische (völkerkundliche) Beschreibungen
- ❍ eine Art Reportage
- ❍ Schlachtendarstellung

Hauptquellen:
- ❍ Die wichtigsten Nachrichten über die alten Germanen stammen von zwei Römern: dem Feldherrn Cäsar (aus dem Bellum Gallicum) und dem Geschichtsschreiber Tacitus (aus der Schrift De origine et situ Germanorum)

māior, māius	größer, älter
plūrimī, plūrimae, plūrima	die meisten, sehr viele
īnferior, īnferius	der untere, der schwächere
superior, superius	der obere, überlegene, früher
complūrēs, complūra	mehrere, ziemlich viele
rērum scrīptor	Geschichtsschreiber
memoriae trādere	(dem Gedächtnis) überliefern
clārus, a, um	hell, klar; berühmt
dissimilis, e *(m. Abl.)*	unähnlich (in)
lac, lactis *n*	Milch
cōnstāre, cōnstō, cōnstitī	feststehen; kosten
cōnstāre ex/in *m. Abl.*	bestehen aus/in
pecus, pēcoris *n*	Vieh
minor, minus	kleiner, geringer
minimus, a, um	der kleinste, geringste
circum *m. Akk.*	um (herum)
vastāre	verwüsten
extrēmus, a, um	der äußerste, letzte
ob *m. Akk.*	wegen
ob eam causam	aus diesem Grund, deswegen
flāvus, a, um	gelb, blond
quīn etiam *Adv.*	ja sogar
pēior, peius	schlechter, geringer
pessimus, a, um	der schlechteste, schlimmste
melior, melius	besser, tüchtiger
Germānia Inferior	Untergermanien
Germānia Superior	Obergermanien
Tacitus	Publius Cornelius Tacitus (Geschichtsschreiber)

Latein lebt

im Dt.: Major, Majorität, Majestät, Klara, Klarinette, *(beim Zoll)* deklarieren, Plural, Pluralismus, konstatieren, minus, Minorität, minimal

im Engl.: mayor, clear, cost, minor, minimal, plural

in Europa: Lago Maggiore *(See in Oberitalien)*, Plaza Mayor *(Platz in Madrid)*, Santa Chiara *(Kirche in Assisi)*

Adjektive: Steigerung (Besonderheiten)

a) Einige häufig gebrauchte Adjektive haben unregelmäßige Steigerungsformen, z. B.

magnus groß	maior größer	maximus der größte	malus schlecht	peior schlechter	pessimus der schlechteste
parvus klein	minor kleiner	minimus der kleinste	bonus gut	melior besser	optimus der beste
multi viele	plures mehr	plurimi die meisten			

b) Es gibt auch Steigerungsformen zu Präpositionen, z. B.

extra außerhalb	(exterior) (der äußere)	extremus der äußerste
(infra) (unterhalb)	inferior der niedrigere	(infimus) (der niedrigste)
prope in der Nähe	(propior) (der nähere)	proximus der nächste
(supra) (oberhalb)	superior der höhere	summus der höchste
(ultra) (jenseits)	(ulterior) (weiter entfernt)	ultimus der letzte

Alle unregelmäßigen Steigerungsformen werden im Wortschatz gelernt.

quīdam, quaedam, quoddam	ein gewisser; geradezu
maximus quīdam	der allergrößte
multum, plūs, plūrimum *Adv.*	viel, mehr, am meisten
quam optime *Adv.*	möglichst gut
incolere, íncolō, incoluī, incultum	siedeln, bewohnen
loca, locōrum *n*	Orte, Gegend(en)
frīgidus, a, um	kalt, starr
maximē *Adv.*	am meisten, im höchsten Grad
pauper, pauperis	arm
frīgus, frigoris *n*	Kälte
mīrus, a, um	wunderbar, sonderbar
ulterior, ulterius	der jenseitige, weiter entfernt
ultrā *m. Akk.*	jenseits; über ... hinaus
pellis, pellis *f*	Fell, Pelz
magis *Adv.*	mehr, in höherem Grade
necessārius, a, um	notwendig; nahe stehend, verwandt
exterior, exterius	der äußere
humus *f*	Erdboden, Boden
fīnīre	begrenzen, beenden
vel *Adv.*	sogar *(beim Superlativ)*
quanto … tanto *Adv.*	um wieviel ... um soviel; je ... desto
senectūs, senectūtis *f*	(hohes) Alter
Danuvius	die Donau

local, refrigerator, poor, necessary

① Adverb: Komparativ

a) celer-iter — schnell — *celer-**ius*** — schneller

Der Komparativ des Adverbs wird mit **-ius** gebildet.

b) diu — lange — *diutius* — länger
saepe — oft — *saepius* — öfter

Es gibt auch einige Adverbien, die gesteigert werden, obwohl es keine entsprechenden Adjektivformen gibt.

c) multum — viel — *plus* — mehr

Einige Adverbien haben unregelmäßige Steigerungsformen.

② Adverb: Superlativ

a) celer-iter — celer-ius — *celerrim-**e*** — am schnellsten

Der Superlativ des Adverbs wird mit **-e** gebildet.

b)

diu	diutius	*diutissime*	am längsten
saepe	saepius	*saepissime*	sehr oft
multum	plus	*plurimum*	am meisten

Superlativformen werden auch zu den unregelmäßigen Komparativformen gebildet.

c) quam celerrime — möglichst schnell

Bei einem Superlativ bedeutet quam 'möglichst' (mit deutschem Positiv).

③ Indefinitpronomen quidam

quidam — **ein gewisser**

	substantivisch			adjektivisch		
	m	*f*	*n*	*m*	*f*	*n*
Nom.	quīdam	quaedam	quiddam	quīdam	quaedam	quoddam
Gen.		cuiusdam			cuiusdam	
		usw.			usw.	

Das Indefinitpronomen qui-dam kann substantivisch und adjektivisch gebraucht werden. Es wird im Wesentlichen wie quis bzw. qui dekliniert (vgl. 39 F a, 15 F). Allerdings wird m vor -dam zu n (z. B. quendam, quandam, quorundam).

Indefinitpronomen quidam: Verwendung

a)

scriptor quidam Romanus	ein (gewisser) römischer Schriftsteller
scriptores quidam Romani	gewisse/einige römische Schriftsteller

Mit quidam wird eine Person oder Sache bezeichnet, die der Sprecher nicht genauer benennt. Der Plural bedeutet meistens 'einige'.

b) Hospes sacra quaedam res est.
Der Gast ist sozusagen/geradezu eine heilige Sache.

Manchmal dient quidam zur Abschwächung ('sozusagen', 'eine Art von') oder Verstärkung ('geradezu', 'wirklich').

post Christum nātum ~ p. Chr. n.	nach Christi Geburt, nach Christus
strepitus, strepitūs	Getöse, Lärm
faber, fabrī	Handwerker, Arbeiter
frequēns, frequentis	zahlreich, häufig
grātiās agere	(mit Worten) danken
brevī tempore	in kurzer Zeit, bald darauf *(wann?)*
vīgintī annōs	zwanzig Jahre lang *(wie lange?)*
facultās, facultātis *f*	Möglichkeit, Fähigkeit
secundum *m. Akk.*	entlang; unmittelbar nach; entsprechend
sīcut	(so) wie, wie zum Beispiel
rēs dīvīnae *Pl.*	Gottesdienst
sē habēre	sich verhalten, beschaffen sein
religiō, religiōnis *f*	Frömmigkeit, Gewissenhaftigkeit; Religion
praecipuē *Adv.*	vornehmlich, besonders
patrōnus	Schutzherr, Anwalt
eximius, a, um	ausnehmend, außerordentlich
sūmptus, sūmptūs	Aufwand, Kosten
offerre, ófferō, óbtulī, oblātum	entgegenbringen, anbieten
mulier, mulíeris *f*	Frau, Ehefrau
vēnīre (vēn-īre), vēneō, vēniī	verkauft werden
veterānus	altgedienter Soldat, Veteran
mātrimōnium	Ehe
in mātrimōnium ducere	heiraten
salūber, salūbris, salūbre	heilsam, gesund
paulātim *Adv.*	allmählich
multōs diēs	viele Tage lang *(wie lange?)*
crassus, a, um	dick, plump
quā dē causā	aus diesem Grund, deswegen
domō *Adv.*	von zu Hause
alibī *Adv.*	anderswo
praemium	Lohn, Belohnung, Auszeichnung
exigere, exigō, exēgī, exāctum	(ein)fordern, vollenden
disserere, disserō, disseruī, dissertum	besprechen, sprechen über, erörtern
prōpōnere, prōpōnō, prōposuī, prōpositum	vorlegen, (sich) vornehmen
trānsferre, trānsferō, trānstulī, trānslātum	hinübertragen, übertragen

permultī, ae, a	sehr viele
contendere, contendō, contendī, contentum	sich anstrengen; kämpfen, eilen; behaupten
illūdere, illūdō, illūsī, illūsum	verspotten
rūmor, rumōris *m*	Gerücht, Gerede
Gallia Cisalpīna	das diesseitige Gallien (Norditalien)
Germānicus, a, um	germanisch
Italicus, a, um	italisch, italienisch

In matrimonium ducere

Relief vom Sarkophag eines römischen Feldherrn (170 v. Chr.). Die Göttin der Eintracht (Concordia) vereinigt das Brautpaar durch Auflegen der Hände auf die Schultern. Davor der Hochzeitsgott (Hymen) mit der Hochzeitsfackel.

portus, portūs	Hafen
cōgī *Inf. Pass.*	sich sammeln
proficīscī, proficīscor, profectus sum	aufbrechen, (ab)reisen
auxiliārī	helfen
vehere, vehō, vēxī, vectum	fahren *(trans.)*, ziehen
vehī, vehor, vectus sum	fahren *(intrans.)*, befördert werden
tuērī, túeor *(m. Akk.)*	schützen, sorgen (für); betrachten
tempestās, tempestātis *f*	Sturm, Unwetter; Zeit
nancīscī, nancīscor, nactus/nanctus sum	(zufällig) erreichen, bekommen
equitātus, equitātūs	Reiterei
suspicarī	argwöhnen, vermuten
cōnstituere, cōnstituō, cōnstituī, cōnstitūtum	aufstellen, festsetzen, beschließen
plānus, a, um	flach, eben; deutlich
cognōscere, cognōscō, cognōvī, cógnitum	kennen lernen, erkennen
impedīre, nē *m. Konj.*	daran hindern, dass; verhindern, dass
cōnārī	versuchen
ēgredī, ēgredior, ēgressus sum *m. Abl.*	herausgehen, verlassen
cunctārī	zögern, zaudern
hortārī	auffordern, mahnen, ermuntern
patī, patior, passus sum	dulden, leiden; zulassen
sequī, sequor, secūtus sum *m. Akk.*	folgen
arbitrari, arbitror, arbitratus sum	meinen, glauben
Britannia	Britannien

Kontext

Equi currum vehunt.	Die Pferde ziehen den Wagen.
Imperator curru vehitur.	Der Feldherr fährt auf (in) dem Wagen.
Imperator per castra equo vehitur.	Der Feldherr reitet durch das Lager.

Verben: Deponentien (1)

arbitror	ich meine
(passive Form)	(aktive Bedeutung)

In allen Konjugationen gibt es einige Verben, die nur passive Formen bilden, jedoch aktive Bedeutung haben (Deponentien); sie haben also gleichsam ihre aktiven Formen „abgelegt“ (deponere!).

a) Infinitiv Präsens

arbitrārī	meinen, glauben

b) Präsensstamm

		Präsens Sg.	Präsens Pl.	Imperfekt Sg.	Futur Sg.
Indikativ	1. Pers.	árbitr-**or**	arbitrā-**mur**	arbitrā-**bā**-r	arbitrā-**b**-or
	2. Pers.	arbitrā-**ris**	arbitrā-**minī**	usw.	arbitrā-**be**-ris
	3. Pers.	arbitrā-**tur**	arbitrā-**ntur**		arbitrā-**bi**-tur
					usw.
Konjunktiv	1. Pers.	arbitr-**e**-r		arbitrā-**re**-r	
	2. Pers.	arbitr-**ē**-ris	usw.	usw.	

Imperativ	arbitrā-**re!**	arbitrā-**minī!**

c) Perfektstamm

		Perfekt Sg.	Plusquamperfekt Sg.	Futur II Sg.
Indikativ	1. Pers.	arbitrātus, a, um sum usw.	arbitrātus, a, um eram usw.	arbitrātus, a, um ero usw.
Konjunktiv	1. Pers.	arbitrātus, a, um sim usw.	arbitrātus, a, um essem usw.	

d) Stammformen

arbitrārī	árbitror	arbitrātus sum	a-Konjugation
tuēri	tueor	—	e-Konjugation
potīri	potior	potītus sum	ī-Konjugation
sequī	sequor	secūtus sum	kons.
patī	patior	passus sum	Konjugation

potīrī, potior, potītus sum *m. Abl.*	in seine Gewalt bringen
fruī, fruor *m. Abl.*	genießen, sich erfreuen an
morārī	(ver)zögern, (sich) aufhalten
ūtī, ūtor, ūsus sum *m. Abl.*	gebrauchen, benutzen
querī, queror, questus sum *m. Akk.*	klagen, sich beklagen (über)
incitāre	antreiben, reizen, aufwiegeln
ulcīscī, ulcīscor, ultus sum	sich rächen (an/für), strafen
ulcīscī hostēs prō *m. Abl.*	sich an den Feinden rächen für
ággredī, aggredior, aggressus sum	herangehen, angreifen
mediā in pace	mitten im Frieden
magnum iter	Eilmarsch
verērī, vereor, véritus sum	sich scheuen, fürchten; verehren
dēligere, dēligō, dēlēgī, dēlēctum	(aus)wählen
locum castrīs dēligere	einen Platz für das Lager auswählen
fīdūcia	Vertrauen; Zuverlässigkeit
testis, testis *m/f*	Zeuge; Zeugin
íngredī, ingredior, ingressus sum	hineingehen, einherschreiten
comitārī	begleiten
fungī, fungor, fūnctus sum *m. Abl.*	verrichten, verwalten
loquī, loquor, locūtus sum	sprechen, reden
prōgredī, prōgredior, prōgressus sum	weitergehen; vorrücken, Fortschritte machen
Boudicca	Boudicca (Königin in Britannien)

Latein lebt

Viele Fremdwörter gehen auf lateinische Komparativ- oder Superlativformen zurück:
„Mit *pessimistischem* Blick schauten die Surfer bei diesem *extremen* Sturm über den *Lago Maggiore*. Sollte das Finale unter irregulären Bedingungen gestartet werden? Letztendlich konnten die Zuschauer doch die *optimale* Leistung der Sportler bewundern, die mit *minimalem* Aufwand ein *Maximum* an *Effektivität* erzielten."

Verben: Deponentien (2)

Auch von den Deponentien werden alle **Partizipien** und **Infinitive** gebildet:

Infinitiv Präsens	hortā-**rī**	auffordern
Infinitiv Perfekt	hortā-**tum esse**	aufgefordert (zu) haben
Infinitiv Futur	hortā-**tūrum esse**	auffordern werden
Partizip Präsens	hortā-**ns**	auffordernd
Partizip Perfekt	hortā-**tus**	einer, der aufgefordert hat
Partizip Futur	hortā-**tūrus**	einer, der auffordern wird

① Partizip Perfekt der Deponentien: Verwendung

a) Caesar milites hortatus profectus est.
(Die Soldaten ermahnt habend, brach Cäsar auf.)
Nachdem Cäsar die Soldaten ermahnt hatte, brach er auf.
Cäsar ermahnte die Soldaten und brach dann auf.

Das Partizip Perfekt bezeichnet die Vorzeitigkeit; zur Wiedergabe im Deutschen kann man einen Gliedsatz oder die Beiordnung wählen.

b) Caesar veritus, ne occasio omitteretur, statim profectus est.
(Fürchtend, dass die Gelegenheit versäumt werde, brach Cäsar sofort auf.)
Cäsar brach aus Furcht, die Gelegenheit zu versäumen, sofort auf.
Cäsar fürchtete, die Gelegenheit zu versäumen, und brach daher sofort auf.

Das Partizip Perfekt der Deponentien kann allerdings auch die Gleichzeitigkeit ausdrücken; häufig kommen z. B. vor:

veritus	aus Furcht	arbitratus	in der Meinung

② Deponentien mit Ablativ

Omnes homines otio et pace frui volunt.
Alle Menschen möchten Ruhe und Frieden genießen.

Vobis amicis utimur.
Wir haben euch als Freunde.

Nach einigen Deponentien (z. B. uti, frui, fungi, potiri) steht das Objekt im Ablativ. Bei uti kann ein zweiter (prädikativer) Ablativ stehen; uti heißt dann 'haben als'.

W

līmes, līmitis *m*	Grenze, Grenzwall
intuērī	ansehen, betrachten
adipīscī, adipīscor, adeptus sum	erreichen; erringen
suprā *Adv.*	oben, oberhalb; darüber hinaus
passim *Adv.*	weit und breit, überall
vagārī	umherziehen; sich ausbreiten
ferrum	Eisen, Schwert
nāscī, nāscor, nātus sum	geboren werden, entstehen; vorkommen
agger, ággeris *m*	Damm
vetus, véteris	alt
exstruere, éxstruō, exstrūxī, exstrūctum	aufschichten, errichten
quārē	weshalb; deshalb (rel. Satzanschluss)
altus, a, um	hoch, tief
mūnīre	befestigen, verschanzen
praesidium	Schutz; Besatzung; Posten
nōmen trāhere ā *m. Abl.*	den Namen bekommen von
vallum	Wall
Hadriānus	Hadrian (Kaiser)

limit, nation, president, wall

S

nd-Formen der Deponentien

Ante certamen athletae *hortandi* sunt:
„Nunc officio vobis *fungendum,* vi autem *utendum* non est.
Postea occasio otio *fruendi* vobis dabitur."

Vor dem Wettkampf müssen die Sportler ermahnt werden:
„Jetzt müsst ihr euere Pflicht tun, Gewalt dürft ihr aber nicht anwenden.
Später wird euch Gelegenheit gegeben werden, die Ruhe zu genießen."

Gerundivum und **Gerundium** der Deponentien unterscheiden sich in Form und Funktion nicht von den nd-Formen der aktiven Verben.

Route 14

Kap. 85-89: Christentum und Kirche

Grammatische Schwerpunkte:

- Texterschließung durch „Lesen" über den Einzelsatz hinaus
- Verschränkte Relativsätze (müssen im Deutschen umschrieben werden: Felix, *von dem ihr wisst, wie* gern *er* in der Zeit *reist*, wird euch nun ins Mittelalter führen.)
- weitere Gliedsätze
- weitere spezielle Verben (sich erinnern, gewohnt sein u. a.)

Sachfelder:
- christliche Vorstellungen und Werte

Textsorten:
- ein biblisches Gleichnis
- ein Gebet (das „Vaterunser")
- christliche Legenden (die berühmte Erzählung vom Hl. Georg)
- eine „Bannbulle" des Papstes gegen den Kaiser
- ein paar Verse in Küchenlatein

Quellen:
- Die lateinische Bibelübersetzung
- Laktanz, ein christlicher Schriftsteller aus dem 3. Jh.
- Legendenerzählung aus dem 13. Jh.
- der lateinische Originaltext einer päpstlichen Bannbulle

dissipāre	zerstreuen, vergeuden
luxuriōsus, a, um	ausschweifend, üppig
cōnsūmere, cōnsūmō, cōnsūmpsī, cōnsūmptum	verbrauchen
famēs, famis *f*	Hunger, Hungersnot
pāscere, pāscō, pāvī, pāstum	(Vieh) hüten, weiden
venter, ventris *m*	Magen
pānis, pānis *m*	Brot
peccāre	sündigen, verkehrt machen
collum	Hals
citō *Adv.*	schnell
epulārī	speisen
senior	älter
at	aber
indīgnārī *(m. Akk.)*	sich ärgern (über)
obsequi, obsequor, obsecūtus sum	nachgeben, gehorchen
nēquāquam *Adv.*	keineswegs
cōnspectus, cōnspectūs	Anblick
conclūdere, conclūdō, conclūsī, conclūsum	einschließen; folgern
quodsi *Subj. m.Ind.*	wenn nun, wenn aber
inīquus, a, um	ungleich, ungerecht
reri, reor, ratus sum	(be)rechnen, meinen

luxury, consume, senior

Latein lebt

Wo lebt Latein?

Natürlich ist Latein dort am lebendigsten, wo es entstanden ist: in Italien. Von den etwa 8000 wichtigsten italienischen Wörtern hat rund ein Fünftel die lateinische Schreibweise unverändert bewahrt. In einem zweiten Kreis hat Latein die anderen romanischen Sprachen intensiv beeinflusst: Von den 2000 gebräuchlichsten französischen Wörtern haben rund 18% den lateinischen Stamm getreu erhalten. Der dritte Kreis umfasst die germanischen Sprachen: Vom heutigen englischen Wortschatz ist etwas mehr als die Hälfte lateinisch-romanischen Ursprungs. Wieviel das Deutsche übernommen hat, sehen wir in diesem Buch auf Schritt und Tritt. Sogar in die slawischen und finnisch-ugrischen Sprachen sind einzelne lateinische Vokabeln eingedrungen.

Schließlich der umfassendste Kreis: Lateinische Wörter gebraucht man auf der ganzen Welt. Allein 560 Mio. Menschen sprechen eine romanische Muttersprache, 400 Mio. sind im Englischen „native speakers". Und sobald die Unterhaltung in diesen Sprachen etwas anspruchsvoller wird oder gar auf wissenschaftliche Themen kommt, verdoppelt sich rasch der Anteil lateinstämmiger Wörter im Gespräch.

Haltepunkt 9: Einfache Texterschließung

Gr. Der Text in L1 ist wirklich leicht zu verstehen. Es handelt sich um die Erzählung eines einfachen Sachverhaltes, der in chronologischer Reihenfolge und mit einfachen sprachlichen Mitteln dargestellt ist. Und vor allem: Du kennst die Geschichte schon.

➤ Du hast leicht reden. Ich verstehe trotzdem viele Wörter und Formen nicht sofort.

Gr. Du solltest bei jedem Text versuchen, zunächst zügig bis zum Ende zu lesen und dabei alle Methoden der Texterschließung anzuwenden, die du bereits kennst. Bei diesem einfachen Text wirst du spätestens beim zweiten Durchlesen feststellen, welche Personen in den einzelnen Abschnitten im Mittelpunkt stehen:

(Einleitung: Vater und zwei Söhne)

Z. 1-19: jüngerer Sohn	Z. 26-29: älterer Sohn
Z. 20-25: Vater	Z. 30-32: Vater

Die Hauptthemen und -motive der einzelnen Abschnitte kannst du an Schlüsselwörtern und Sachfeldern, den Handlungsverlauf an den Konnektoren erkennen:

Z. 1-19: *Verschwendung:* substantia – *et* dissipavit – vivendo luxuriose – *et* omnia consumpsit
Not: fames – *et* coepit egere – *et* cupiebat implere ventrem – *sed* nemo dabat – fame pereo
Heimkehr: ibo ad patrem

Z. 20-25: *Mitleid und Großzügigkeit:* pater *autem* – misericordia motus – *et* osculatus est – vestem optimam – *et* vitulum saginatum – *et* coeperunt epulari

Z. 26-29: *Unzufriedenheit:* filius *autem* – indignatus – numquam mihi – *sed* illi

Z. 30-32: *Gegenargument: at* dixit – *tu* semper mecum es – frater *tuus* inventus est

➤ Das klingt schon einleuchtend, wenn du das so erklärst, aber ob ich da selbst draufkomme?

Gr. Du solltest so oft wie möglich versuchen, dir mit dieser Methode einen Überblick über einen ganzen Text oder wenigstens Textabschnitte zu verschaffen; denn nur so siehst du, dass Latein eine ganz normale Sprache ist. Vor allem gerätst du nicht gleich in Panik, wenn du irgendwelche Einzelheiten nicht verstehst. In einem zweiten Arbeitsgang solltest du den Text im Detail erfassen; dann ist die Gefahr gering, dass du etwas völlig falsch verstehst.

Wenn du - wie bei diesem Gleichnis - bereits in etwa weißt, wovon in einem Text die Rede ist, hast du es natürlich einfacher.

➤ Das ist ja so oft das Problem, dass ich die Leute und Geschichten nicht kenne.

Gr. Deshalb solltest du immer genau die Überschriften und Einleitungen beachten und möglichst viel über alte Geschichte, klassische Sagen und Mythen wissen. Vieles davon liest sich wirklich spannend wie ein Krimi. Mit solchen Vorkenntnissen wird es dir dann immer häufiger gelingen, auch kompliziertere Texte schon beim Durchlesen zu verstehen.

cognōvisse	kennen, wissen (kennengelernt/erkannt haben)
imperātōris (magnī/multum) interest	dem Kaiser liegt (viel) daran
interesse *m. Dat.*	teilnehmen an
cōnsuēscere, cōnsuēscō, cōnsuēvī, cōnsuētum	sich (daran) gewöhnen
cōnsuēvisse	gewohnt sein, pflegen
sacrificium	Opfer
frōns, frontis *f*	Stirn, Vorderseite
turbāre	durcheinanderbringen, stören
sólitus, a, um	gewohnt, üblich
nota *Subst.*	Zeichen, Merkmal
idcircō *Adv.*	deswegen
profānus, a, um	ungeweiht, gottlos
nefārius, a, um	verbrecherisch, gottlos
praecipere, praecipiō, praecēpī, praeceptum	vorschreiben, befehlen
animadvertere in *m. Akk.*	vorgehen gegen
tunc *Adv.*	damals, dann
nihil amplius	nichts weiter
ōdisse	hassen
concitāre	antreiben, aufwiegeln
meminisse *(m. Gen./Akk.)*	sich erinnern (an); daran denken
furor, furōris *m*	Raserei, Wahnsinn
Dioclētiānus	Diokletian (Kaiser)

sacrifice, interesting, front, note, fury

Kontext

Felix ludis non interfuit.	Felix nahm an den Spielen nicht teil.
Felicis interest comites delectare.	Felix liegt daran, die Gefährten zu erfreuen.
Multum interest inter Felicem et Grammaducem.	Es ist ein großer Unterschied zwischen Felix und Grammadux.

① Verben: Perfektopräsentien

a) Die aktiven Perfektformen einiger Verben können einen Zustand oder ein Ergebnis ausdrücken und somit präsentische Bedeutung bekommen, z. B.

cognovi	ich habe kennengelernt, ich kenne / weiß
consuevi	ich habe mich daran gewöhnt, ich bin gewohnt / pflege

Zwei Verben mit präsentischer Bedeutung bilden ausschließlich Formen des Perfektstamms:

memini	ich erinnere mich / denke an
odi	ich hasse

b) Multi Romani philosophiam neglegere consueverant.
Viele Römer pflegten die Philosophie gering zu schätzen.
Viele Römer kümmerten sich gewöhnlich nicht um Philosophie.

Mortuorum meminerimus!
Lasst uns an die Toten denken!

Bei diesen Verben werden also z. B. die Formen des Plusquamperfekts (hier: consueverant) mit Präteritum wiedergegeben, die Formen des Konjunktiv Perfekt (hier: meminerimus) haben die Funktion des Konjunktiv Präsens (hier als Hortativ) usw.

② Obliquer Konjunktiv (1)

a) Quis eum diligat, quem timeat?
Wer könnte den lieben, den er fürchtet?

Gelegentlich kommt in Gliedsätzen, die normalerweise im Indikativ stehen, ein sog. obliquer („schiefer") Konjunktiv vor.
Dies ist z. B. dann der Fall, wenn der Gliedsatz von einem übergeordneten Satz abhängig ist, der selbst im Konjunktiv steht. Der Konjunktiv timeat steht also in „Anlehnung" an den Konjunktiv diligat.
Dieser Konjunktiv braucht bei der Übersetzung nicht wiedergegeben zu werden.

b) Scimus neminem eum diligere, quem timeat.
Wir wissen, dass niemand den liebt, den er fürchtet.

Der oblique Konjunktiv wird auch verwendet, wenn der Gliedsatz von einer Infinitivkonstruktion abhängig ist.

cōgitāre	überlegen
taedium	Überdruss, Ekel
versārī	sich aufhalten, verweilen
silva	Wald
suāvis, e	süß, angenehm
aliquamdiū *Adv.*	eine Zeit lang
perturbāre	verwirren, beunruhigen
postulāre	fordern, verlangen
paulo ante	kurz zuvor
mīrārī *(m. Akk.)*	sich wundern (über)
statuere, statuō, statuī, statūtum	aufstellen; festsetzen, beschließen
tamquam *Adv.*	(gleich)wie
faciēs, faciēī *f*	Gesicht, Aussehen
cernere	sehen, erkennen
admīrārī *(m. Akk.)*	sich wundern (über), bewundern

admire, tedious, statue, statement, face

WORTFAMILIE

sta-re

di-stare		statuere
ob-stare		con-stituere
prae-stare	status	de-stituere
con-stare	statua	in-stituere
con-stantia	statim	in-stitutum

Sachfeld Körper

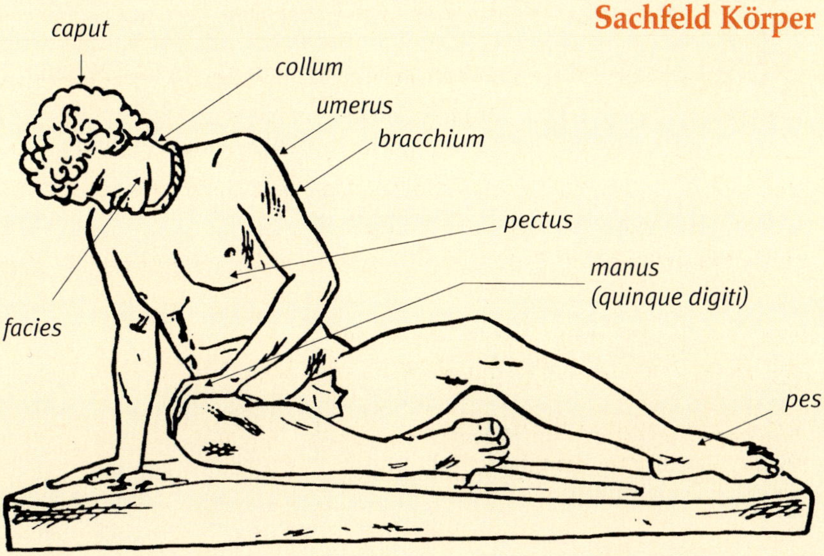

Verschränkter Relativsatz

a) Tibi dabo illum librum, quem optimum esse constat.
Ich werde dir jenes Buch geben, von dem feststeht, dass es ausgezeichnet ist.

Tibi dabo illum librum, qui quam bonus sit scio.
Ich werde dir jenes Buch geben, von dem ich weiß, wie gut es ist.

Tibi dabo illum librum, quo lecto bene iudicare poteris.
Ich werde dir jenes Buch geben, nach dessen Lektüre du gut urteilen kannst.

Im Lateinischen gibt es Relativsätze, die mit einem AcI, einem weiteren Gliedsatz oder gelegentlich auch mit einem Ablativus absolutus verschmolzen („verschränkt") sind.

Da man diese Relativsätze im Deutschen nicht wörtlich wiedergeben kann, muss man bei der Übersetzung freiere Formulierungen wählen.

b) Häufig anwendbare Übersetzungsmöglichkeiten sind:

Tibi dabo illum librum, Ich werde dir jenes Buch geben,	quem optimum esse constat.
– mit Relativsatz und „von":	von dem feststeht, dass es ausgezeichnet ist.
– mit Parenthese (Einschub):	das – wie bekannt (ist) – ausgezeichnet ist.
– mit Adverb:	das bekanntlich ausgezeichnet ist.
– mit Präpositionalausdruck:	das nach allgemeiner Überzeugung ausgezeichnet ist.

Wenn diese Konstruktion Schwierigkeiten bereitet, so kannst du dir zunächst vorstellen, dass vor dem Relativsatz ein Strichpunkt steht und wie bei einem relativen Satzanschluss übersetzen (vgl. 25 T2), z. B.:

Tibi dabo illum librum; quem optimum esse constat.
Ich werde dir jenes Buch geben; es steht fest, dass es ausgezeichnet ist.

Hast du so den Sinn richtig erfasst, dann musst du dich für eine der oben genannten Übersetzungsmöglichkeiten entscheiden und den Relativsatz wieder unterordnen.

dracō, dracōnis *m*	Drache
pestis, pestis *f*	Seuche, Unheil
cottīdiē *Adv.*	täglich
assequī, assequor, assecūtus sum	erreichen
sēdāre	beruhigen
ūnicus, a, um	einzig
quōquō modō poterat	auf jede erdenkliche Weise
morī, morior, mortuus sum	sterben
interīre, intéreō, intérīī, intéritum	zugrunde gehen, umkommen
plēnus, a, um *(m. Gen.)*	voll (von/mit)
complectī, complector, complexus sum	umarmen, erfassen
heu mē!	wehe mir!
vēlōx, vēlōcis	schnell
prūdēns, prūdentis	klug
persuādēre, persuādeō, persuāsī, persuāsum *m. Dat.*	überreden, überzeugen
colloquī, colloquor collocūtus sum	sich unterreden, unterhalten
crux, crucis *f*	Kreuz(zeichen)
advenīre, adveniō, advēnī, adventum	(her)ankommen
oblīvīscī, oblīvīscor oblītus sum *(m.Gen.)*	vergessen
Christus	(Jesus) Christus

Latein lebt

im Dt.: Dracula, Pest, Sedativum *(Beruhigungsmittel)*, Unikum, komplex, Beate, das ist die Crux *(Schwierigkeit)*, Kruzifix, Advent

im Engl.: dragon, pest, unique, complex, to persuade, cross, oblivious

in Europa: Le Quotidien *(Pariser Zeitung)*, Santa Croce *(Kirche in Florenz)*, Velo *(schweiz./holl.: Fahrrad)*

① Gliedsätze als Subjekt: Aussagesätze

a) Erscheinungsform

Vitium est, quod saepe rebus parvis studemus.
Es ist ein Fehler, dass wir uns oft um unbedeutende Dinge bemühen.

Saepe evenit, ut rebus parvis studeamus.
Es kommt häufig vor, dass wir uns um unbedeutende Dinge bemühen.

Abhängige Aussagesätze werden eingeleitet mit:

– quod (non)	mit Indikativ	dass (nicht)
– ut (non)	mit Konjunktiv	dass (nicht)

Die folgenden Wendungen treten häufiger auf:

bene (male) fit (accidit), quod	es trifft sich gut (schlecht), dass
fieri potest, ut	es kann geschehen, dass
evenit (accidit), ut	es kommt vor, dass
multum abest, ut	es fehlt viel, dass

b) Satzgliedfunktion

Abhängige Aussagesätze haben in der Regel die Satzgliedfunktion des Subjekts:

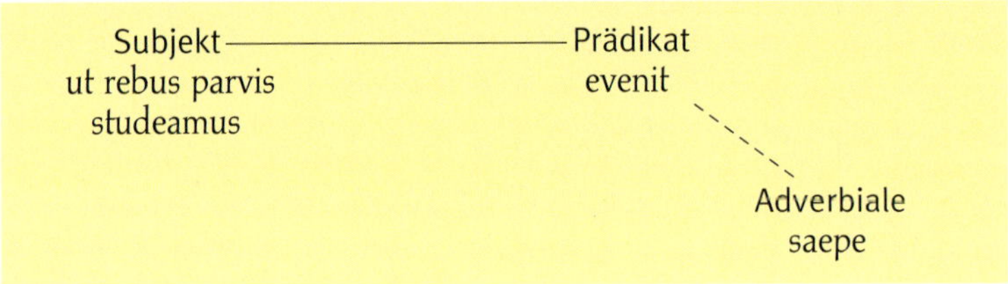

② Gliedsätze als Objekt: Begehrsätze

a) Erscheinungsform

Homines semper operam dant, ut beate vivant.
Die Menschen bemühen sich immer darum, glücklich zu leben.

Homines semper operam dabant, ne misere viverent.
Die Menschen bemühten sich immer darum, nicht unglücklich zu leben.

Abhängige Begehrsätze enthalten Wünsche und Aufforderungen; sie werden eingeleitet mit:

– ut	mit Konjunktiv	dass
– ne	mit Konjunktiv	dass nicht

Philosophi nos prohibent, ne naturam neglegamus.
Die Philosophen halten uns davon ab, die Natur zu vernachlässigen.

Philosophi verentur, ne naturam neglegamus.
Die Philosophen fürchten, dass wir die Natur vernachlässigen.

Nach Verben bzw. Ausdrücken des **Fürchtens** (z. B. timere, vereri, periculum est) und des **Hinderns** (z. B. prohibere, impedire) heißt:

– ne	mit Konjunktiv	dass
– ut / ne non	mit Konjunktiv	dass nicht

b) Satzgliedfunktion

Abhängige Begehrsätze haben in der Regel die Satzgliedfunktion des Objekts.

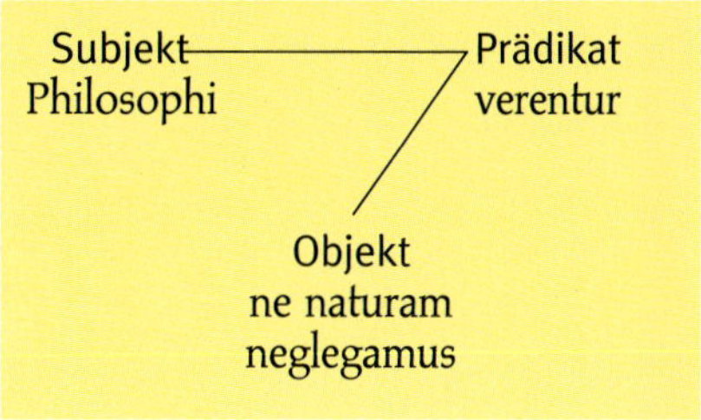

Kontext

Tibi *persuasi, ut* me adiuvares.
Ich habe dich *überredet*, dass du mir hilfst (mir zu helfen).

Tibi *persuasi* haec omnia *agenda esse.*
Ich habe dich *überzeugt*, dass dies alles getan werden muss.

Interdum admiror, *quod* Grammadux omnia scit.
Manchmal wundere ich mich darüber, *dass* Grammadux alles weiß.
Manchmal wundere ich mich, *weil* Grammadux alles weiß.

Hunc amicum *tamquam* fratrem diligo.
Diesen Freund schätze ich *wie* einen Bruder.

Homines nonnullas bestias, *velut* serpentes, timent.
Die Menschen fürchten manche Tiere, *wie (zum Beispiel)* die Schlangen.

Velut pater curat familiam, *sic* consul curet cives.
Wie ein Vater für seine Familie sorgt, *so* soll ein Konsul für seine Mitbürger sorgen.

solēre, soleō, sólitus sum	pflegen, gewohnt sein (etw. zu tun)
cōnfīdere, cōnfīdō, cōnfīsus sum	vertrauen
audēre, audeō, ausus sum	wagen
revertī, revertor, revertī (!)	zurückkehren
arripere, arripiō, arripuī, arreptum	an sich reißen
gaudēre, gaudeō, gāvīsus sum	sich freuen
sēdēs, sēdis *f*	Sitz, Wohnsitz
ídeō *Adv.*	deswegen, deshalb
oboedīre	gehorchen
ligāre	binden
iūsiūrandum	Eid, Schwur
absolvere, absolvō, absolvī, absolūtum	lösen, freisprechen, vollenden
interdīcere, nē *m. Konj.*	untersagen, dass
mónitum *Subst.*	Ermahnung

confident, absolute, obedient

Latein lebt

Die Wörter abbas, apostolus und papa stammen ursprünglich aus dem Griechischen, sind aber in die Kirchensprache Latein eingedrungen. Diese beherrschte nicht nur das christliche Mittelalter, sie wird heute noch in der katholischen Kirche geschrieben und auch gesprochen. Der Papst (papa heißt Heiliger Vater) lässt seine Sendschreiben (Enzykliken) im Original immer auf Lateinisch verfassen.

Verben: Semideponentien

solet	er ist gewohnt	solitus est	er ist/war gewohnt
gaudet	er freut sich	gāvīsus est	er hat sich gefreut
audet	er wagt	ausus est	er hat gewagt
cōnfīdit	er vertraut	cōnfīsus est	er hat vertraut

Einige wenige Verben bilden nur im Perfektstamm passive Formen mit aktiver Bedeutung. Deshalb heißen sie Semideponentien (Halbdeponentien).

revertitur	er kehrt zurück	revertit	er ist zurückgekehrt

reverti ist das einzige Verb, das umgekehrt im Präsensstamm ein Deponens ist und im Perfektstamm aktive Formen bildet.

Sachfeld Kirche und Religion

dominus pater abbās orāre domus religio

deus basilica fidēs

pāstor ecclēsia pietās

apostolus capella spēs

Christiānī paradīsus amor

Route 15

Kap. 90-92: Sport und Spiele

Grammatische Schwerpunkte:

- Konjunktiv in speziellen Gliedsätzen und im Relativsatz (Vorsicht, kommt im Lateinischen häufiger vor als im Deutschen und hat besondere Bedeutung: Es gibt *niemanden, der* nicht gern nach Rom *führe*.)

Sachfelder:

- Sport (auch Fußball!)
- Training
- Gladiatorenspiele
- Rendezvous

Textsorten:

- ein Brief mit philosophischem Inhalt
- Ratschläge zum Verlieben
- eine Fabel

Hauptquellen:

- lateinische Klassiker wie Cicero und Plinius, der Philosoph Seneca, der Fabeldichter Äsop und der Dichter Ovid

exercitātiō, exercitātiōnis *f*	Übung
ut eō *m. Komparativ*	damit desto, damit umso
facile *Adv.*	leicht
spatium	Raum, Strecke, Zeitraum
celeritās, celeritātis *f*	Schnelligkeit
semel *Adv.*	einmal
dēcertāre	bis zur Entscheidung kämpfen
cōnsuētūdō, cōnsuētūdinis *f*	Gewohnheit, Brauch; Umgang
gemere, gemō, gemuī, gemitum	seufzen, stöhnen
satisfacere, satisfaciō, satisfēcī, satisfactum	zufrieden stellen, entschädigen
mediócris, e	mittelmäßig; gering, unbedeutend
tímidus, a, um	furchtsam, ängstlich
stāre, stō, stetī	stehen
īnfāmia	übler Ruf, Schande
succumbere, succumbō, succubuī	unterliegen
recipere, recipiō, recēpī, receptum	zurücknehmen; aufnehmen, wieder bekommen
sē recipere	sich zurückziehen
minimē *Adv.*	sehr wenig
eō magis	um so mehr
tunica	Tunika, Unterkleid
color, colōris *m*	Farbe
illūc *Adv*	dorthin, dahin *(wohin?)*
hūc *Adv*	hierher, hierhin *(wohin?)*
favor, favōris *m*	Gunst, Beifall
vīlis, vīle	billig, wertlos

exercise, space, mediocre, satisfy, timid, receive, favour

Latein lebt

Während in der Gegenwart viele englische Wörter in die deutsche Sprache eindringen, sind lateinische Wörter dort schon lange zu Hause. So konnte man z. B. im 18. und 19. Jahrhundert folgenden Satz, in drohendem Ton gesprochen, hören:

- Für diese *Infamie* müssen Sie mir *Satisfaktion* geben.

In der – oft absichtlich – „gewählten" Sprache unserer Tage lässt sich vernehmen:

- Im Gegensatz zur öffentlichen Meinung ist diese Auffassung *singulär*.
- Leider war das eine recht *mediokre* Theateraufführung.
- Wer nur *utilitaristisch* denkt, lässt jeden Idealismus vermissen.

voluptās, voluptātis *f*	Vergnügen, Lust
lépidus, a, um	unterhaltsam, witzig
éxitus, exitūs	Ende, Ausgang
quod scīam	soweit ich weiß
pūgna	Kampf
māne *Adv.*	am Morgen
leō, leōnis *m*	Löwe
merīdiēs, merīdiēī *m*	Mittag, Süden
obicere, obiciō, obiēcī, obiectum	entgegenwerfen, vorwerfen
cōnflīgere, cōnflīgō, cōnflīxī, cōnflīctum	zusammenstoßen, kämpfen
merēre, mereō, meruī, meritum	verdienen
suspendere, suspendō, suspendī, suspēnsum	aufhängen
quid est, quod …? *m. Konj.*	Was für einen Grund gibt es, dass ...?
intermittere, intermittō, intermīsī, intermissum	unterbrechen
turba	(Menschen-)Menge; Verwirrung
Seneca, Senecae	Seneca (Philosoph)
Nerō, Nerōnis	Nero (Kaiser)

exit, lion, object, conflict, merit, suspend, intermission

Tageszeiten

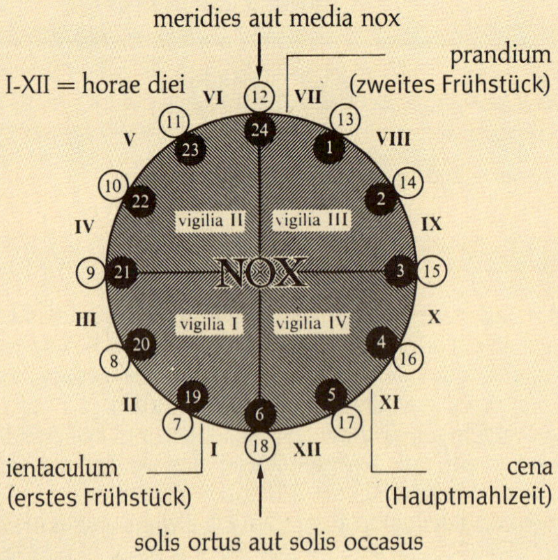

§ Konjunktiv im Relativsatz

Abgesehen von den Fällen eines obliquen Konjunktivs (vgl. 86 S②) treten konjunktivische Relativsätze auch mit kausalem, finalem oder konsekutivem **Nebensinn** auf.

a) kausal

Seneca, *qui* (cum) liber a negotiis *esset*, ludos spectavit.
Seneca schaute die Spiele an, *da* er frei von Verpflichtungen war.

b) final

Seneca servum misit, *qui* (ut) amicos ad cenam *invitaret*.
Seneca schickte einen Sklaven, der die Freunde zum Essen einladen *sollte*.

c) konsekutiv

Seneca non *is/talis* erat, *qui* (ut) ludis *delectaretur*.
(Seneca war nicht so, dass er Freude an den Spielen hatte.)
Seneca war kein Mann, der Freude an den Spielen hatte.

Epistulae Senecae dignae sunt, *quae legantur*.
Senecas Briefe sind es wert, gelesen zu werden.

Ein Relativsatz mit konsekutivem Nebensinn kann im übergeordneten Satz durch ein „Signalwort" (z.B. is, talis o.ä.) vorbereitet werden oder von bestimmten Adjektiven (dignus, idoneus, aptus) abhängen. Der Nebensinn wird im Deutschen nicht ausgedrückt.

Hierzu zählt auch der Konjunktiv nach Ausdrücken wie:

Sunt, qui ...	Es gibt Leute, die ...
Nemo est, qui ...	Es gibt keinen, der ...
Quis est, qui ...	Wen gibt es, der ...

Sachfeld wilde Tiere

W

poēta *m*	Dichter
flōs, flōris *m*	Blume, Blüte
céleber, célebris, célebre	viel besucht, berühmt, kultiviert
cultus, a, um	geschmückt, gebildet
circus	Zirkus, Rennbahn
digitus	Finger
proximus ā *m. Abl.*	ganz nahe bei
requīrere, requīrō, requīsīvī, requīsītum	sich erkundigen, verlangen
plaudere, plaudō, plausī, plausum	(Beifall) klatschen
cómmodus, a, um	angemessen, bequem
tenuis, e	fein, dünn
Ovidius	Publius Ovidius Naso (Dichter)

poet, flower, culture, circus, require, applaud

S

① Obliquer Konjunktiv (2)

Socrates id, quod honestum non *esset*, ne utile quidem putabat.
Sokrates hielt das, was nicht ehrenhaft *sei*, nicht einmal für nützlich.

Ein obliquer Konjunktiv im Gliedsatz kann auch bedeuten, dass der Sachverhalt als Meinung des Subjektes (hier: Sokrates) wiedergegeben wird. Man spricht dann von „innerer Abhängigkeit“. In solchen Fällen wird auch im Deutschen der Konjunktiv gebraucht.

Iuvenes quidam Socratem diligebant, quod *se* bene docuisset.
Einige junge Männer verehrten Sokrates, weil er *sie* gut unterrichtet habe.

In derartigen Gliedsätzen bezieht sich ein reflexives Pronomen (hier: se) auf das Subjekt des übergeordneten Satzes (hier: iuvenes).

② Supin

a) Mane amici imperatorem *salutatum* veniebant.
Am Morgen kamen die Freunde, *um* den Kaiser *zu begrüßen*.

Das Supin auf **-um**, das nach Verben der Bewegung (z. B. mittere, venire, ire) gelegentlich vorkommt, bezeichnet die Absicht bzw. den Zweck.

b) Pleraque faciliora sunt *dictu* quam *factu*.
Das meiste ist leichter *zu sagen* als *zu tun*.

Das Supin auf **-u** kommt nur bei einigen Adjektiven (z. B. facilis, difficilis, iucundus, dulcis) als verbale Ergänzung vor.

Haltepunkt 10: Konjunktiv

Gr. Wir nähern uns nun dem Ende unserer Sprachreise und sollten uns noch einmal einen Haltepunkt gönnen. Hast du einen bestimmten Wunsch?

➤ Das mit dem Konjunktiv finde ich sehr kompliziert. Am liebsten wäre mir eine einfache Regel, wann man den Konjunktiv bei der Übersetzung wiedergeben muss.

Gr. Für einen ersten Schritt kann ich dir eine klare Regel nennen: Steht der Konjunktiv in einem Hauptsatz, dann musst du ihn im Deutschen immer irgendwie wiedergeben, steht er aber in einem Gliedsatz, dann ist das nicht oft nötig.

➤ Und wie muss man ihn **im Hauptsatz** übersetzen?

Gr. Das hängt von seinem Verwendungszweck ab. Folgende Möglichkeiten hast du bisher kennen gelernt:

1. Konjunktiv Impf. und Plusqpf. als **Irrealis** (vgl. 59 S), z. B.
Etiam Felix ludos spectaret, nisi tam crudeles essent.
Auch Felix würde die Spiele ansehen, wenn sie nicht so grausam wären.

➤ Ja, das war leicht, das war wie im Deutschen.

Gr. **2.** Konjunktiv Perf. im **Prohibitiv** (vgl. 61 S①), z. B.
Ne spectaveris ludos crudeles! Schaue keine grausamen Spiele an!

3. Konjunktiv Präs. als **Hortativ** und **Jussiv** (vgl. 69 S) in einer Aufforderung.

➤ Ist das z. B. plaudamus im Sinne von „lasst uns klatschen“ oder „wollen wir klatschen“?

Gr. Richtig. Das ist ein Hortativ. Und hier ein Beispiel für den Jussiv:
Spectatores plaudant. Die Zuschauer sollen klatschen.

4. Konjunktiv Präs. und Perf. als **Potentialis** (vgl. 76 S a), z. B.
Bonum gladiatorem nemo illudat.
Einen guten Gladiator dürfte (wird wohl) niemand verspotten.

5. Last but not least die Konjunktive aller Tempora im **Optativ** (vgl. 69 S): Mit Präsens und Perfekt wird ein erfüllbarer, mit Imperfekt und Plusquamperfekt ein unerfüllbarer Wunsch ausgedrückt.

➤ Utinam hoc didicissem!

Gr. Phantastisch! Dann können wir wohl zu den **Gliedsätzen** übergehen.

1. In sehr vielen Gliedsätzen steht der Konjunktiv, weil die **Subjunktion** (z. B. ut oder cum) dies erfordert (vgl. 60 S, Haltepunkt 6, 7). In diesen Fällen wird der Konjunktiv nicht übersetzt, z. B.
Oro te, ut turbam vites. Ich bitte dich, die Menge zu meiden.

2. Das Gleiche gilt für die **indirekten Fragesätze** (vgl. 61 S②, 71 S), z. B.
Rogo te, cur talibus ludis delecteris.
Ich frage dich, warum du durch solche Spiele erfreut wirst.

3. Über den **obliquen Konjunktiv** brauche ich wohl nichts zu sagen, den hast du ja gerade erst durchgenommen (vgl. 86 S②, 92 S①).

➤ Ja, an den erinnere ich mich, nur bei innerer Abhängigkeit steht auch im Deutschen der Konjunktiv.

Gr. Ausgezeichnet.

4. Sicher weißt du dann auch noch, welche Bedeutungen der **Konjunktiv im Relativsatz** hat und wie er jeweils zu übersetzen ist? Sieh dir das Beispiel an:
Amicus servum misit, qui Senecam ad ludos invitaret.

➤ Lass' mich nachdenken. – Ich hab's: Der Freund schickte einen Sklaven, der Seneca einladen sollte.

Gr. Prima, nur 'zu den Spielen' hast du vergessen. Weißt du auch noch, wie man diese Sinnrichtung bezeichnet?

➤ Das hab' ich vergessen.

Gr. Das ist ein finaler Relativsatz. Bei den beiden anderen Arten, dem kausalen und dem konsekutiven Relativsatz, steht in der deutschen Übersetzung nach einer entsprechenden Subjunktion der Indikativ.

➤ Vielen Dank. Aber sag mal, irgendwie habe ich das Gefühl, dass das jetzt viel einfacher ging, als wenn ich einen Text vor mir habe.

Gr. Das will ich gerne glauben. Im Text musst du ja zunächst noch die Konjunktivform erkennen und dann herausfinden, warum sie dasteht. Wir sind jetzt umgekehrt vorgegangen. Im Einzelfall helfen dir die folgenden Tabellen:

Konjunktiv im Hauptsatz

Tempus	*Verwendung*	*Wiedergabe im Deutschen*
Impf., Plusqpf.	Irrealis	irrealer Konjunktiv
Perf. (nach ne)	Prohibitiv	verneinter Imperativ
Präs.	Jussiv Hortativ Deliberativ (Gegenwart)	'soll(en)' 'lasst uns' 'soll(en)' (im Fragesatz)
Präs., Perf.	Potentialis (Gegenwart)	'dürfte(n), könnte(n), wohl'
Präs., Perf. Impf., Plusqpf.	Optativ: erfüllbarer Wunsch Optativ: unerfüllbarer Wunsch	Indikativ ('hoffentlich ...') irrealer Konjunktiv

Konjunktiv im Gliedsatz

Vorkommen		*Wiedergabe im Deutschen*
nach best. Subjunktionen	(z. B. ut, cum)	Indikativ
im indirekten Fragesatz		Indikativ (selten Konjunktiv)
im Relativsatz	kausal konsekutiv final	Indikativ (nach Subj.) Indikativ (nach Subj.) 'soll(en)'
als obliquer Konjunktiv	nach Konjunktiv nach Infinitiv bei innerer Abhängigkeit	Indikativ Indikativ Konjunktiv

➤ Das sieht zwar nach sehr viel aus, aber dass man im Deutschen so oft den Indikativ nehmen kann, ist doch erfreulich.

Route 16

Kap. 93-95: Politik und Utopie

Grammatische Schwerpunkte:

- **Oratio obliqua**
  (Felix kündigt an: Das Ende unserer Zeitreise sei nun bald erreicht. Darüber freuten wir uns sicher. Doch stünden neue Aufgaben bevor, wenn nun die originalen Texte zu lesen seien. Wir sollten aber guten Mutes sein, denn schließlich hätten wir ja ein solides Fundament erhalten.)

Sachfelder:
- Leben in der staatlichen Gemeinschaft
- Kommunismus
- Utopie

Textsorten:
- politische Argumentation und Diskussion
- ein philosophisches Gleichnis
- ein englischer Text mit lateinischen „Wurzeln"
- ein Colloquium unter Schülern und Schülerinnen

Hauptquellen:
- die „Metamorphosen" des Dichters Ovid,
- das berühmte Werk „Utopia" des englischen Humanisten Thomas Morus, aber auch
- der live-Mitschnitt vom Abschiedsgespräch unserer Reisegruppe

concilium	Versammlung
errāre	(sich) irren, sich täuschen
mīlitāris, e	soldatisch, militärisch, Kriegs-
cōnsilium capere	einen Plan fassen
cupīdō, cupīdinis *f*	Verlangen, Leidenschaft
ambitiō, ambitiōnis *f*	Bewerbung; Ehrgeiz
capessere, capessō, capessīvī, capessītum	ergreifen
rem publicam capessere	die politische Laufbahn einschlagen
assiduus, a, um	beharrlich, unablässig
imber, imbris *m*	Regen(guss)
tēctum	Dach, Haus
prōdīre, prōdeō prōdiī	hervorkommen, auftreten
aliēnus, a, um	fremd, abgeneigt; unpassend
omnīnō *Adv.*	gänzlich, überhaupt
Morus	Thomas Morus (engl. Staatsmann und Humanist)

error, military, ambition, architect

Sachfeld Politik

natio gens civis
magistratus dux regina rex
tyrannus imperator
senator consul

curia

oratio libertas gloria
victoria potentia
ius iustitia lex
fides dignitas
virtus

officia praestare
ad rem publicam accedere
consentire dissentire
aggredi confligere
regere regnare
persuadere

patria imperium regnum
civitas

ordo status tumultus
seditio pax bellum
controversia

Oratio obliqua

Wird das, was jemand gesagt hat, von einem Erzähler nicht wortwörtlich, sondern nur inhaltlich wiedergegeben, so spricht man von einer indirekten Rede, lat. Oratio obliqua („schiefe Rede").
Eine indirekte Rede wird vom Erzähler im Allgemeinen mit einem einleitenden Satz vorbereitet. Das Prädikat dieses Einleitungssatzes ist meistens ein Verbum des Sagens.
In der lateinischen Oratio obliqua stehen alle Verben
- im Infinitiv (als Bestandteil eines AcI) oder
- im Konjunktiv.

① AcI in der Oratio obliqua

a) C. Plinius scribit: In ludis
- nihil novum, nihil varium esse
- nihil novum, nihil varium *fuisse*
- nihil novum, nihil varium *futurum esse*.

C. Plinius schreibt: Bei den Spielen
- *gebe es* nichts Neues und keine Abwechslung
- *habe es* nichts Neues und keine Abwechslung *gegeben*
- *werde es* nichts Neues und keine Abwechslung *geben*.

Mit dem AcI werden alle **Aussagen** wiedergegeben.
Die Infinitive bezeichnen dabei, wie auch sonst im AcI, das Zeitverhältnis zum Prädikat des einleitenden (übergeordneten) Satzes. (Vgl. 20 Sb und 43 S2.)
Im Deutschen stehen in der indirekten Rede sämtliche Prädikate im Konjunktiv.

Dabei gilt grundsätzlich:

Gleichzeitigkeit:	lat. Infinitiv Präsens	dt. Konjunktiv Präsens
Vorzeitigkeit:	lat. Infinitiv Perfekt	dt. Konjunktiv Perfekt
Nachzeitigkeit:	lat. Infinitiv Futur	dt. Konjunktiv Futur

b) C. Plinius rogat: *Quem ignorare* in ludis nihil novum esse?
C. Plinius fragt: *Wer wisse nicht*, dass es bei den Spielen nichts Neues gebe?

Rhetorische Fragen werden wie Aussagen behandelt.

c) C. Plinius scribit:
Etiam homines graves
- ludos spectare
- ludos spectavisse
- ludis teneri.

C. Plinius schreibt:
Auch bedeutende Männer
- würden die Spiele betrachten
- hätten die Spiele betrachtet
- würden von den Spielen gefesselt.

Fallen im Deutschen die Formen des Konjunktiv Präsens oder Perfekt mit den entsprechenden Indikativformen zusammen, so werden sie meist durch den Konjunktiv Präteritum bzw. Plusquamperfekt ersetzt.

② Pronomina in der Oratio obliqua

a) C. Plinius scribit: *Se (ipsum)* talibus spectaculis non teneri.
C. Plinius schreibt: *Er (selbst)* werde von derartigen Schauspielen nicht gefesselt.

Reflexivpronomina beziehen sich im Allgemeinen auf das Subjekt des einleitenden (übergeordneten) Satzes. Sie können durch ipse ersetzt oder verstärkt werden.

b) C. Plinius putat: *Eos / illos* autem ludis teneri.
C. Plinius meint: *Diese / jene* würden aber durch die Spiele gefesselt.

Die Demonstrativpronomina is und ille beziehen sich auf den/die Angeredeten oder eine andere Person bzw. andere Personen.
Wer im Einzelfall mit den Pronomina gemeint ist, kann oft nur aus dem Kontext erschlossen werden.

③ Konjunktiv in der Oratio obliqua (1)

C. Plinius *scribit*:
Se dies quosdam iucundissime agere, quod talibus spectaculis non *teneatur*. Eos autem, qui ludos *spectaverint*, illis spectaculis gavisos esse.

C. Plinius *schreibt*:
Er verbringe manche Tage höchst angenehm, da er von derartigen Schauspielen nicht *gefesselt werde*. Diejenigen aber, die die Spiele *betrachtet hätten*, hätten sich über jene Schauspiele gefreut.

C. Plinius *scripsit*:
Se illos dies iucundissime egisse, quod talibus spectaculis non *teneretur*. Eos autem, qui ludos *spectavissent*, illis spectaculis gavisos esse.

C. Plinius *schrieb*:
Er habe jene Tage höchst angenehm verbracht, da er von derartigen Schauspielen nicht *gefesselt werde*. Diejenigen aber, die die Spiele *betrachtet hätten*, hätten sich über jene Schauspiele gefreut.

Alle Gliedsätze stehen im Konjunktiv.

Nach den Regeln der Consecutio temporum (vgl. 71 S2) bezeichnen
- Konjunktiv Präsens bzw. Imperfekt die Gleichzeitigkeit,
- Konjunktiv Perfekt bzw. Plusquamperfekt die Vorzeitigkeit.
  (Nachzeitigkeit kommt kaum vor.)

Die Wiedergabe im Deutschen erfolgt nach den gleichen Regeln wie bei den Infinitiven.

prīvātus, a, um	privat, persönlich
cōnsequī, cōnsequor, cōnsecūtus sum	erreichen, einholen
ops, opis *f*	Kraft, Stärke, Hilfe
opēs, opum *Pl.*	Reichtum; Macht; Streitmacht
nihil prīvātī	nichts Privates, kein Privatbesitz
proprius, a, um	eigen, eigentümlich
aequitās, aequitātis *f*	Gleichheit, Gerechtigkeit; Gelassenheit
sē dare *m. Dat.*	sich widmen
méritō *Adv.*	verdientermaßen, mit Recht
permovēre, permoveō, permōvī, permōtum	bewegen, veranlassen, ergreifen
quiētus, a, um	ruhig, gelassen
intervenīre, interveniō, intervēnī, interventum	dazwischenkommen, unterbrechen
suppetere, súppetō, suppetīvī, suppetitum	(reichlich) vorhanden sein
industria	Fleiß, Engagement
commercium	Handel, Verkehr
absurdus, a, um	sinnlos
ēvertere, ēvertō, ēvertī, ēversum	umstürzen, zerstören
nōbilitās, nōbilitātis *f*	Adel, Berühmtheit
cōnfitērī, cōnfiteor, cōnfessus sum	gestehen, bekennen
assentīrī, assentior, assēnsus sum	zustimmen, beipflichten
Ūtopiēnsis, e	utopisch, von Utopia
Ūtopiēnsēs, Ūtopiēnsium	die Utopier, Bewohner von Utopia
Ūtopia	Utopia

private, opulent, property, intervene, quiet, industry, commerce, absurd, noble, confess

WORTFAMILIE

ops, **op**is
opes, **op**um

opus
opera
copia
in-**op**ia

opulentus
optimus
copiosus

① Konjunktiv in der Oratio obliqua (2)

Amicus e Seneca quaerit: Quid sibi praecipue vitandum *sit*?
Der Freund fragt Seneca: Was *solle* er vor allem meiden?

Seneca respondet: Turbam *vitet*.
Seneca antwortet: Die Masse (Massenansammlungen) *solle* er meiden.

Alle Hauptsätze, die echte Fragen, Aufforderungen und Wünsche enthalten, stehen im Konjunktiv. Auch hier gelten die Regeln der Consecutio temporum.

Bei der Wiedergabe von Aufforderungen oder Wünschen, die auch in der direkten Rede im Konjunktiv stehen, verwendet man „sollen".

② Wiedergabe der Oratio obliqua (Übersicht)

Latein	Deutsch	Zeitverhältnis
Infinitiv Präsens Konjunktiv Präsens Konjunktiv Imperfekt	Konjunktiv Präsens (ggf. Konj. Präteritum)	gleichzeitig
Infinitiv Perfekt Konjunktiv Perfekt Konjunktiv Plusqpf.	Konjunktiv Perfekt (ggf. Konj. Plusqpf.)	vorzeitig
-ūrum esse -ūrus sim/essem	Konjunktiv zu „werden"	nachzeitig

Seneca philosophus

aureus, a, um	golden
serere, serō, sēvī, satum	säen, pflanzen
poena	Strafe
minārī	drohen, androhen
tabula	Tafel, Verzeichnis; Gemälde
supplex, supplicis	demütig bittend, flehend
fabricāre	herstellen, anfertigen
mortālis, e	sterblich; *Plur.* Menschen
fossa	Graben
praeceps, praecipitis	abschüssig; kopfüber, überstürzt
cingere, cingō, cinxī, cinctum	umgeben, umgürten
sēcūrus, a, um	sorglos, sicher
peragere, peragō, perēgī, perāctum	durchführen, vollenden
tellūs, tellūris *f*	Erde
gignere, gignō, genuī, genitum	(er)zeugen, hervorbringen
crēscere, crēscō, crēvī	wachsen, zunehmen
vēr, vēris *n*	Frühling
placidus, a, um	sanft, still, friedlich
sēmen, sēminis *n*	Samen
mānāre	fließen
mihi persuasum est	ich bin überzeugt

punish(ment), table, fabricate, mortal, secure, placid

Stammformen wichtiger Verben

Die folgende Liste enthält diejenigen Verben mit „unregelmäßiger“ Perfektbildung, zu denen in FELIX B Perfekt- (und PPP-) Formen vorkommen.
Die aktiven Verben sind nach ihrer Zugehörigkeit zu den verschiedenen Konjugationsklassen aufgeführt. Es folgen die Deponentien, Semideponentien und „spezielle“ Verben.
Innerhalb der Konjugationsklassen sind die Verben nach der Art ihrer Perfektbildung (also v-, u-, s-Perfekt usw.) zusammengestellt, und zwar in alphabetischer Reihenfolge; Komposita stehen unmittelbar beim jeweiligen Verbum simplex (z. B. circumdare bei dare). Am Rand findet ihr Kürzel für die Art der Perfektbildung:
v(-Perfekt), **u**(-Perfekt), **s**(-Perfekt), **R**(eduplikationsperfekt), **D**(ehnungsperfekt), (Perfekt) **o**(hne Stammveränderung).
Nicht aufgeführt sind die als „regelmäßig“ geltenden Verben der ā- und ī-Konjugation mit v-Perfekt sowie der ē-Konjugation mit u-Perfekt (und PPP auf -itum); z.B.:

vocāre	vocō, vocāvī, vocātum	rufen, nennen
audīre	audiō, audivī, audītum	hören
monēre	moneō, monuī, monitum	(er)mahnen

Verben der ā-Konjugation

1	domāre	domō, domuī, domitum	zähmen, bezwingen	u
2	secāre	secō, secuī, sectum	(ab)schneiden, durchschneiden	
3	vetāre	vetō, vetuī	verbieten	
4	iuvat	iūvit	es erfreut, macht Spaß	D
	adiuvāre	adiuvō, adiūvī, adiūtum	unterstützen, helfen	
5	dare	dō, dedī, datum	geben	R
	circumdare	circumdō, circúmdedī	umgeben	
6	stāre	stō, stetī	stehen	
	circumstāre	circumstō, circumstetī	herumstehen (um), umringen	
	obstāre	obstō, obstitī	entgegenstehen, hindern	
	praestāre	praestō, praestitī	*m. Akk.* leisten, erweisen *m. Dat.* übertreffen	

Verben der ē-Konjugation

1	dēlēre	dēleō, dēlēvī, delētum	zerstören, vernichten	v
2	flēre	fleō, flēvī	(be)weinen	
3	implēre	impleō, implēvī, implētum	(an)füllen	
4	cēnsēre	cēnseō, cēnsuī, cēnsum	schätzen, meinen	u
5	docēre	doceō, docuī, doctum	lehren, unterrichten	
6	ārdēre	ārdeō, ārsī, ārsurus	brennen, glühen	s
7	augēre	augeō, auxī, auctum	vermehren, vergrößern, fördern	
8	haerēre	haereō, haesī	hängen, stecken bleiben	
9	iubēre	iubeō, iussī *m. Akk.*	beauftragen, befehlen, anordnen	
10	manēre	maneō, mānsī	bleiben, warten (auf)	
11	rīdēre	rīdeō, rīsī	(aus)lachen	
	dērīdēre	dērīdeō, dērīsī	verlachen, verspotten	
	irrīdere	irrīdeō, irrīsī, irrīsum	(aus)lachen, verlachen	
12	suādēre	suādeō, suāsī, suāsum	raten, empfehlen	
	persuādēre	persuādeō, persuāsī, persuāsum *m. Dat.*	überreden, überzeugen	
13	urgēre	urgeō, ursī	(be-)drängen	
14	cavēre	caveō, cāvī, cautum *m. Akk.*	sich hüten, in Acht nehmen	D
15	favēre	faveō, fāvī *m. Dat.*	gewogen sein, schwärmen (für)	
16	movēre	moveō, mōvī, mōtum	bewegen, beeinflussen	
	commovēre	commoveō, commōvī, commōtum	bewegen, veranlassen	
	permovēre	permoveō, permovī, permōtum	bewegen, veranlassen, ergreifen	
	removēre	removeō, remōvī, remōtum	entfernen, wegschaffen	
17	obsidēre	obsideō, obsēdī, obsessum	belagern	
18	vidēre	videō, vīdī	sehen	
	vidēri	videor, vīsus sum *m. Nom.*	scheinen; gelten als	
	providēre	provideō, provīdī, provīsum	*m. Dat.* sorgen für, *m. Akk.* vorhersehen	
19	pendēre	pendeō, pependī	(herab)hängen, schweben	R
20	respondēre	respondeō, respondī	antworten	

Verben der ī-Konjugation

1	aperīre	aperiō, aperuī, apertum	(er)öffnen, aufdecken	u
2	dēsilīre	dēsiliō, dēsiluī	herabspringen	
3	sentīre	sentiō, sēnsī	fühlen, wahrnehmen, meinen	s
	cōnsentīre	cōnsentiō, cōnsēnsī, cōnsēnsum	übereinstimmen, zustimmen	
4	haurīre	hauriō, hausī, haustum	schöpfen, trinken	
5	vincīre	vinciō, vinxī	fesseln, binden	
6	venīre	veniō, vēnī, ventum	kommen	D
	advenīre	adveniō, advēnī, adventum	(her)ankommen	
	circumvenīre	circumveniō, circumvēnī, circumventum	umringen, umzingeln	
	convenīre	conveniō, convēnī, conventum	zusammenkommen, zusammenpassen, sich einigen	
	ēvenīre	ēveniō, ēvēnī, ēventum	sich ereignen, passieren	
	intervenīre	interveniō, intervēnī, interventum	dazwischenkommen, unterbrechen	
	invenīre	inveniō, invēnī, inventum	finden, erfinden	
	pervenīre	perveniō, pervēnī (ad/in *m. Akk.*)	gelangen (zu/nach)	
7	reperīre	reperiō, répperī, repertum	(wieder) finden	R
	comperīre	comperiō, cómperī, compertum	erfahren, in Erfahrung bringen	

Verben der konsonantischen Konjugation

1	cōnsuēscere	cōnsuēscō, cōnsuēvī, cōnsuētum	sich (daran) gewöhnen	v
2	cognōscere	cognōscō, cognōvī, cógnitum	kennen lernen, erkennen	
3	dēcernere	dēcernō, dēcrēvī, dēcrētum	entscheiden, beschließen	
4	crēscere	crēscō, crēvī	wachsen, zunehmen	
5	capessere	capessō, capessīvī, capessītum	ergreifen	
6	lacessere	lacessō, lacessīvī, lacessītum	reizen	
7	pāscere	pāscō, pāvī, pāstum	(Vieh) hüten, weiden	
8	petere	petō, petīvī, petītum	erstreben, aufsuchen, verlangen	
	repetere	repetō, repetīvī, repetītum	zurückverlangen, wiederholen	
	suppetere	suppetō, suppetīvī, suppetītum	(reichlich) vorhanden sein	
9	quaerere	quaerō, quaesīvī, quaesītum	suchen, fragen; erwerben (wollen)	
	requirere	requirō, requisīvī, requisītum	sich erkundigen, verlangen	
10	serere	serō, sēvī, satum	säen, pflanzen	
11	sinere	sinō, sīvī, situm	lassen, zulassen	
12	spernere	spernō, sprēvī, sprētum	verschmähen, verachten	
13	alere	alō, aluī	ernähren, fördern	u
14	colere	colō, coluī, cultum	bebauen, pflegen, verehren	
	incolere	incolō, incoluī, incultum	siedeln, bewohnen	
15	cōnsulere	cōnsulō, cōnsuluī, cōnsultum	*m. Dat.* sorgen für *m. Akk.* um Rat fragen	
16	dēserere	dēserō, dēseruī, dēsertum	verlassen, im Stich lassen; aufgeben	
	disserere	dísserō, disseruī, dissertum	erörtern	
17	gemere	gemō, gemuī, gemitum	seufzen, stöhnen	
18	gignere	gignō, genuī, genitum	(er)zeugen, hervorbringen	
19	pōnere	pōnō, pósuī, pósitum	legen, stellen, setzen	
	dēpōnere	dēpōnō, dēposuī, dēpositum	ablegen, absetzen, abstellen	
	expōnere	expōnō, exposuī, expositum	darlegen	
	impōnere	impōnō, imposuī, impositum	auf ... setzen/stellen; aufbürden	
	propōnere	propōnō, proposuī, propositum	vorlegen, (sich) vornehmen	
20	succumbere	succumbō, succubuī	unterliegen	

21	nūbere	nūbō, nūpsī, nūptum *m. Dat.*	heiraten
22	premere	premō, pressī, pressum	drücken, bedrängen
	opprimere	opprimō, oppressī, oppressum	unterdrücken
23	scrībere	scrībō, scrīpsī, scrīptum	schreiben
24	contemnere	contemnō, contempsī, contemptum	verachten
25	cingere	cingō, cinxī, cinctum	umgeben, umgürten
26	dīcere	dīcō, dīxī, dictum	sagen, sprechen, behaupten, nennen
	indīcere	indīcō, indīxī, indictum	ankündigen
27	dūcere	dūcō, dūxī, ductum	führen, ziehen
	abdūcere	abdūcō, abdūxī, abductum	wegführen
	addūcere	addūcō, addūxī, adductum	heranführen, veranlassen
	condūcere	condūcō, condūxī, conductum	zusammenführen, versammeln
	dēdūcere	dēdūcō, dēdūxī, dēductum	abführen, wegführen
	redūcere	redūcō, redūxī, reductum	zurückführen, zurückziehen
	trādūcere	trādūcō, trādūxī, trāductum	hinüberführen, hinbringen
28	fīgere	fīgō, fīxī, fīxum	(an)heften, befestigen
29	flectere	flectō, flexī, flexum	biegen, beugen, umwenden
30	afflīgere	afflīgō, afflīxī, afflīctum	niederschlagen, entmutigen
	conflīgere	conflīgō, conflīxī, conflīctum	zusammenstoßen, kämpfen
31	iungere	iungō, iūnxī, iūnctum	verbinden, vereinigen
	coniungere	coniungō, coniūnxī, coniūnctum	verbinden, vereinigen
32	regere	regō, rēxī	lenken, leiten, beherrschen
	porrigere	pórrigō, porrēxī, porrēctum	darreichen, ausstrecken
	pergere	pergō, perrēxī, perrēctum	fortsetzen, weitermachen, fortfahren
	surgere	surgō, surrēxī	aufstehen, sich erheben
33	obstringere	obstringō, obstrīnxī, obstrictum	verstricken, verpflichten
34	exstruere	exstruō, exstrūxī, exstrūctum	aufschichten, errichten
	instruere	instruō, instrūxī, instrūctum	aufstellen, ausstatten; unterrichten
35	tegere	tegō, tēxī	(be)decken, schützen
	dētegere	dētegō, detēxī, detēctum	aufdecken, enthüllen

	prōtegere	prōtegō, protēxī, protēctum	(be-)schützen; bedecken
36	trahere	trahō, trāxī	ziehen, schleppen
	contrahere	cóntrahō, contrāxī, contractum	zusammenziehen
	dētrahere	dētrahō, detrāxī, detractum	herabziehen, entreißen
37	vehere	vehō, vēxī, vectum	fahren *(trans.)*, ziehen
38	exstinguere	exstinguō, exstīnxī	auslöschen, vernichten
39	vīvere	vīvō, vīxī, vīctūrus	leben
40	gerere	gerō, gessī, gestum	tragen, (aus)führen
41	cēdere	cēdō, cessī, cessum	gehen; weichen, nachgeben
	accēdere	accēdō, accessī, accessum	herankommen, hinzutreten
	concēdere	concēdō, concessī, concessum	erlauben, zugeben, nachgeben
	dēcēdere	dēcēdō, dēcessī	weggehen; sterben
	discēdere	discēdō, discessī	auseinander gehen, weggehen
	incēdere	incēdō, incessī	einherschreiten, hineingehen
	prōcēdere	prōcēdō, prōcessī	vorwärtsgehen, vorrücken
	recēdere	recēdō, recessī, recessum	zurückweichen, sich zurückziehen
	succēdere	succēdō, successī, successum	nachfolgen, nachrücken
42	claudere	claudō, clausī, clausum	(ver)schließen, abschließen
	conclūdere	conclūdō, conclūsī, conclūsum	einschließen; folgern
43	dīvidere	dīvidō, dīvīsī, dīvīsum	teilen, trennen
44	lūdere	lūdō, lūsī, lūsum	spielen, scherzen
	illūdere	illūdō, illūsī, illūsum	verspotten
45	mittere	mittō, mīsī, missum	schicken, gehen lassen, werfen
	admittere	admittō, admīsī, admissum	zulassen, einlassen
	āmittere	āmittō, āmīsī, āmissum	aufgeben, verlieren
	committere	committō, commīsī, commissum	zustande bringen, begehen; anvertrauen
	dēmittere	dēmittō, dēmīsī	herablassen, eintauchen
	dīmittere	dīmittō, dīmīsī, dīmissum	wegschicken, entlassen
	intermittere	intermittō, intermīsī, intermissum	unterbrechen
	omittere	omittō, omīsī, omissum	unterlassen, verstreichen lassen
	permittere	permittō, permīsī, permissum	erlauben, überlassen
	prōmittere	prōmittō, prōmīsī, prōmissum	versprechen
	remittere	remittō, remīsī, remissum	zurückschicken; nachlassen

46	invādere	invādō, invāsī	eindringen, angreifen; befallen
47	plaudere	plaudō, plausī, plausum	(Beifall) klatschen
48	agere	agō, ēgī, āctum	(be)treiben, verhandeln, ausführen **D**
	exigere	exigō, exēgī, exāctum	(ein)fordern, vollenden
	peragere	peragō, perēgī, perāctum	durchführen, vollenden
	subigere	súbigō, subēgī, subāctum	unterwerfen
	cōgere	cōgō, coēgī, coāctum	zusammentreiben, sammeln; zwingen
49	emere	emō, ēmī, ēmptum	kaufen
	interimere	intérimō, interēmī, interēmptum	aus dem Weg räumen, beseitigen
50	legere	legō, lēgī, lēctum	lesen
	colligere	cólligō, collēgī, collēctum	zusammensuchen, sammeln
	dēligere	dēligō, delēgī, dēlēctum	(aus)wählen
	dīligere	dīligō, dīlēxī, dīlēctum	lieben, schätzen
	ēligere	ēligō, ēlēgī, ēlēctum	auswählen
	intellegere	intéllegō, intellēxī	erkennen, einsehen
	neglegere	neglegō, neglēxī, neglēctum	vernachlässigen, übersehen
51	relinquere	relinquō, relīquī, relictum	verlassen, zurücklassen
52	corrumpere	corrumpō, corrūpī, corruptum	verderben, vernichten
53	cōnsīdere	cōnsīdō, cōnsēdī	sich setzen, sich niederlassen
54	sūmere	sūmō, sūmpsī, sumptum	nehmen
	consūmere	consūmō, consūmpsī, consūmptum	verbrauchen
55	vincere	vincō, vīcī, victum	(be)siegen, übertreffen
	dēvincere	dēvincō, dēvīcī, dēvictum	(völlig) besiegen
56	cadere	cadō, cécidī	fallen, umkommen **R**
	accidere	áccidō, áccidī	sich ereignen, geschehen
	incidere	íncidō, íncidī (in *m. Akk.*)	hineinfallen, geraten (in), stoßen (auf)
57	caedere	caedō, cecīdī, caesum	fällen, niederhauen, töten
	occīdere	occīdō, occīdī, occīsum	töten, niederschlagen
58	canere	canō, cécinī	singen, besingen, (ein Instrument) spielen

59	currere	currō, cucurrī	laufen, rennen
	concurrere	concurrō, concurrī	zusammenlaufen, zusammenstoßen
	succurrere	succurrō, succurrī	zu Hilfe eilen
60	abdere	abdō, abdidī, abditum	verbergen
	addere	addō, addidī, additum	hinzufügen
	condere	condō, cóndidī, conditum	gründen
	crēdere	crēdō, crēdidī, crēditum	glauben, anvertrauen
	dēdere	dēdō, dēdidī, dēditum	hingeben, ausliefern
	perdere	perdō, perdidī, perditum	zugrunde richten, verderben
	prōdere	prōdō, prōdidī, prōditum	überliefern, verraten
	reddere	reddō, reddidī, redditum	zurückgeben
	trādere	trādō, trādidī, trāditum	übergeben, überliefern
	vendere	vendō, vendidī, venditum	verkaufen
61	discere	discō, didicī	lernen
62	fallere	fallō, fefellī	täuschen; unbemerkt bleiben
63	parcere	parcō, pepercī *m. Dat.*	(ver)schonen; sparen
64	pellere	pellō, pépulī, pulsum	(ver)treiben, stoßen
	expellere	expellō, éxpulī, expulsum	heraustreiben, vertreiben
65	péndere	pendō, pependī, pēnsum	abwiegen, bezahlen
	impendere	impendō, impendī, impēnsum	aufwenden, ausgeben
66	poscere	poscō, poposcī	fordern, verlangen
67	cōnsistere	cōnsistō, cōnstitī	sich hinstellen, Halt machen
	dēsistere	dēsistō, dēstitī *m. Abl.*	aufhören (mit)
	resistere	resistō, restitī	Widerstand leisten, sich widersetzen
68	tangere	tangō, tétigī	berühren, anrühren
	contingit	cóntigit	es gelingt, es glückt
69	contendere	contendō, contendī, contentum	sich anstrengen; kämpfen, eilen; behaupten
	ostendere	ostendō, ostendī	zeigen
70	bibere	bibō, bibī	trinken
71	rescindere	rescindō, rescidī, rescissum	einreißen, abbrechen
72	tollere	tollō, sústulī, sublātum	aufheben, beseitigen

73	incendere	incendō, incendī, incēnsum	anzünden, erregen
74	dēfendere	dēfendō, dēfendī, dēfēnsum	verteidigen, abwehren
	offendere	offendō, offendī, offēnsum	angreifen, beleidigen
75	comprehendere	comprehendō, comprehendī, comprehēnsum	ergreifen; begreifen
76	ascendere	ascendō, ascendī	hinaufsteigen, ersteigen
	dēscendere	dēscendō, dēscendī	herabsteigen
77	vertere	vertō, vertī	wenden, drehen
	āvertere	āvertō, āvertī, aversum	abwenden
	convertere	convertō, convertī, conversum	umwenden, hinwenden; verändern
	ēvertere	ēvertō, ēvertī, ēversum	umstürzen, zerstören
	animadvertere	animadvertō, animadvertī, animadversum	wahrnehmen, beachten
78	statuere	statuō, statuī, statūtum	aufstellen; festsetzen, beschließen
	constituere	constituō, constituī, constitūtum	aufstellen, festsetzen, beschließen
	dēstituere	dēstituō, dēstituī, dēstitūtum	im Stich lassen, verlassen
	īnstituere	īnstituō, īnstituī, īnstitūtum	einrichten, anordnen, unterweisen
	restituere	restituō, restituī, restitūtum	wiederherstellen
79	tribuere	tribuō, tribuī, tribūtum	zuteilen, verteilen
	distribuere	distribuō, distribuī, distribūtum	verteilen, einteilen
80	induere	induō, induī, indūtum	anziehen, anlegen
81	metuere	metuō, metuī	fürchten
82	minuere	minuō, minuī, minūtum	vermindern, schwächen
83	solvere	solvō, solvī, solūtum	(auf)lösen

Verben der kons. Konjugation (mit ĭ-Erweiterung)

1	rapere	rapiō, rapuī, raptum	rauben, fortreißen	u
	arripere	arripiō, arripuī, arreptum	an sich reißen	
	ēripere	ēripiō, ēripuī, ēreptum	entreißen	
2	cōnspicere	cōnspiciō, cōnspēxī	erblicken, wahrnehmen	s
	īnspicere	īnspiciō, īnspexī, īnspectum *m. Akk.*	hineinschauen in	
	perspicere	perspiciō, perspexī, perspectum	durchschauen, erkennen	
3	capere	capiō, cēpī, captum	fassen, ergreifen, erobern; begreifen	D
	accipere	accipiō, accēpī, acceptum	annehmen, vernehmen, empfangen	
	concipere	concipiō, concēpī, conceptum	aufnehmen, empfangen	
	dēcipere	dēcipiō, dēcēpī, dēceptum	täuschen	
	excipere	excipiō, excēpī, exceptum	herausnehmen, aufnehmen	
	incipere	incipiō, coepi, coeptum	anfangen, beginnen	
	percipere	percipiō, percēpī, perceptum	erfassen, aufnehmen	
	praecipere	praecipiō, praecēpī, praeceptum	vorschreiben, befehlen	
	recipere	recipiō, recēpī, receptum	zurücknehmen; aufnehmen, wieder bekommen	
	suscipere	suscipiō, suscēpī, susceptum	übernehmen, auf sich nehmen	
4	facere	faciō, fēcī, factum	machen, tun, handeln	
	afficere	afficiō, affēcī, affectum *m. Abl.*	versehen mit	
	cōnficere	cōnficiō, cōnfēcī, cōnfectum	vollenden, erledigen	
	efficere	efficiō, effēcī, effectum	bewirken, durchsetzen	
	interficere	interficiō, interfēcī, interfectum	töten	
	prōficere	prōficiō, prōfēcī, prōfectum	Fortschritte machen, nützen	
	reficere	reficiō, refēcī, refectum	wiederherstellen, neu beleben	
	satisfacere	satisfaciō, satisfēcī, satisfactum	zufrieden stellen, entschädigen	
5	abicere	abiciō, abiēcī, abiectum	wegwerfen, ablegen	
	adicere	adiciō, adiēcī, adiectum	hinzufügen, hinwerfen	
	conicere	coniciō, coniēcī, coniectum	zusammenwerfen, schleudern; vermuten	

	obicere	obiciō, obiēcī, obiectum	entgegenwerfen, vorwerfen
	prōicere	prōiciō, prōiēcī, prōiectum	hinwerfen
	reicere	reiciō, reiēcī, reiectum	zurückweisen
6	fugere	fugiō, fūgī *(m. Akk.)*	fliehen (vor), meiden
	effugere	effugiō, effūgī *m. Akk.*	entfliehen, entkommen
7	párere	pariō, péperī, partum	hervorbringen, gebären; erwerben R

Deponentien; Semideponentien

1	arbitrārī	arbitror, arbitratus sum	meinen, glauben
2	cōnfitērī	cōnfiteor, cōnfessus sum	gestehen, bekennen
3	verērī	vereor, vēritus sum	sich scheuen, fürchten; verehren
4	vidērī	videor, vīsus sum *m. Nom.*	scheinen, gelten als
5	assentīrī	assentior, assēnsus sum	zustimmen, beipflichten
6	potīrī	potior, potītus sum *m. Abl.*	in seine Gewalt bringen
7	fungi	fungor, fūnctus sum *m. Abl.*	verrichten, verwalten
8	querī	queror, questus sum *m. Akk.*	klagen, sich beklagen (über)
9	reri	reor, ratus sum	(be)rechnen, meinen
10	loquī	loquor, locūtus sum	sprechen, reden
	cōlloquī	cōlloquor, collocūtus sum	sich unterreden, unterhalten
11	sequī	sequor, secūtus sum *m. Akk.*	folgen
	āssequī	assequor, assecūtus sum	erreichen
	cōnsequī	cōnsequor, cōnsecūtus sum	nachfolgen, erreichen
12	complectī	complector, complexus sum	umarmen, erfassen
13	ūtī	ūtor, ūsus sum *m. Abl.*	gebrauchen, benutzen
14	vehī	vehor, vectus sum	fahren *(intrans.)*, befördert werden

15	morī	morior, mortuus sum	sterben
16	orīrī	orior, ortus sum	entstehen, aufgehen
17	āggredī	aggredior, aggressus sum	herangehen, angreifen
	ēgredī	ēgredior, ēgressus sum *m. Abl.*	herausgehen, verlassen
	īngredī	ingredior, ingressus sum	hineingehen, einherschreiten
	prōgredī	prōgredior, prōgressus sum	weitergehen, vorrücken, Fortschritte machen
18	patī	patior, passus sum	dulden, leiden; zulassen
19	nāscī	nāscor, natus sum	geboren werden, entstehen; vorkommen
20	proficīscī	proficīscor, profectus sum	aufbrechen, (ab)reisen
21	adipīscī	adipīscor, adeptus sum	erreichen, erringen
22	nancīscī	nancīscor, nactus/nanctus sum	(zufällig) erreichen, bekommen
23	oblīvīscī	oblīvīscor, oblītus sum *m. Gen.*	vergessen
24	ulcīscī	ulcīscor, ultus sum	sich rächen (an/für), strafen
25	audēre	audeō, ausus sum	wagen
26	gaudēre	gaudeō, gāvīsus sum	sich freuen
27	solēre	soleō, sōlitus sum	gewohnt sein
28	cōnfīdere	cōnfīdo, cōnfīsus sum	vertrauen
29	revertī	revertor, revertī (!)	zurückkehren

Andere Verben

1	**esse**	sum, fuī	sein, sich befinden
	abesse	absum, āfui	abwesend sein
	adesse	adsum, adfuī	anwesend sein, beistehen, helfen
	dēesse	dēsum, dēfuī	fehlen, mangeln
	inesse	īnsum, īnfuī	enthalten sein, innewohnen
	interesse	intersum, interfui *m. Dat.*	teilnehmen (an)
	obesse	obsum, obfuī	schaden
	praeesse	praesum, praefuī *m. Dat.*	an der Spitze stehen, leiten
	superesse	supersum, superfuī	übrig sein, überleben
	prōdesse	prōsum, prōfuī	nützen
	posse	possum, potuī	können, vermögen
2	**ferre**	ferō, tulī, lātum	tragen, bringen; ertragen
	afferre	áfferō, áttulī, allātum	(her)bringen, melden
	cōnferre	cōnferō, cóntulī, collātum	zusammentragen, zusammenbringen, vergleichen
	dēferre	dēferō, dētulī, dēlātum	herabbringen; überbringen, melden
	differre	differō, distulī, dīlātum	aufschieben; verschieden sein
	offerre	offero, obtuli, oblatum	entgegenbringen, anbieten
	perferre	pérferō, pértulī, perlātum	hinbringen; ertragen, aushalten
	praeferre	praefero, praetulī, praelātum	vorziehen; an den Tag legen
	referre	réferō, réttulī, relātum	zurückbringen, berichten, melden
	transferre	transfero, transtuli, translatum	hinübertragen, übertragen
3	**īre**	eō, iī, itum	gehen
	adīre	adeō, adiī, aditum	herangehen, aufsuchen; angreifen

(Die anderen Komposita von ire bilden die Stammformen ebenso.)

4	**velle**	volō, voluī	wollen
	nōlle	nōlō, nōluī	nicht wollen
	mālle	mālō, māluī	lieber wollen, vorziehen
5	**fierī**	fiō, factus sum	werden, geschehen; gemacht werden

Grammatisches Register

Die Zahlen bezeichnen die Seiten dieses Bandes. Begriffe, die in Felix B I und II erstmals auftraten und dort erläutert wurden, sind im folgenden Register nicht noch einmal verzeichnet.

Namenverzeichnis

Die Zahl hinter dem lateinischen Namen bezeichnet das Kapitel, in dem das jeweilige Wort zum ersten Mal auftritt; die Kapitelzahlen 1 - 73 beziehen sich auf Felix B I und II.

Achilles, -is 47	Achill; einer der stärksten griechischen Helden vor Troja. Er fiel einem Pfeil zum Opfer, der ihn an seiner einzigen verwundbaren Stelle traf, an der Ferse („Achillesferse").
Actium 66	Stadt an der Westküste von Griechenland. Dort fand 31 v. Chr. eine Seeschlacht statt, in der Augustus über Antonius und Kleopatra siegte.
aedilis, -is 39	Ädil: Beamter, zuständig für öffentliche Bauten und Straßen, Getreide- und Wasserversorgung, Marktaufsicht und Veranstaltung der Spiele (z. B. im Amphitheater).
Aegyptus *f* 47	Ägypten
Aeneas, -ae 25	Der Trojaner Äneas war der Sage nach der Stammvater der Römer.
Aesopus 48	Äsop, griech. Fabeldichter (6. Jh. v. Chr.)
Africa 16	In röm. Zeit verstand man unter A. den Norden des Erdteils.
Alexander (Magnus) 47	Alexander (der Große), König von Makedonien (336-323 v. Chr.); wollte ein Weltreich gründen, in dem Makedonen, Griechen und Perser vereint sein sollten.
Alexandria 47	Alexandria, Stadt am westlichen Nildelta in Ägypten
Alpes, -ium 37	Die Alpen
Anchises, -is 26	Vater des Äneas
Antonius 66	Marcus Antonius; er wollte nach Cäsars Tod (44 v. Chr.) dessen Nachfolger sein und brachte das Volk gegen Cäsars Mörder auf. Später wurde er von Oktavian (Augustus) ausgeschaltet und bei Aktium geschlagen.
Apenninus 54	Die Apenninen; Gebirgszug in Italien
Apollo, -inis 24	Sohn des Jupiter und der Latona, Bruder der Diana; Gott der Weissagung, der Heilkunst, der Wissenschaften und Künste
Archimedes, -is 48	Archimedes, griechischer Mathematiker und Physiker
Asia 47	Asien, Kleinasien (heutiges Gebiet der westl. Türkei); römische Provinz seit 133 v. Chr.
Athenae, -arum 46	Athen; das kulturelle Zentrum des antiken Griechenlands
Atheniensis, -is 44	Der Athener
Atilius Regulus 55	Römischer Feldherr im 1. Punischen Krieg
Atticus 59	Freund Ciceros und dessen Briefpartner; Verleger bedeutender literarischer Werke
Augustus 41	Erster röm. Kaiser (63 v. Chr. - 14 n. Chr.)
Aventinus 24	Der Sage nach hat Remus auf dem A., einem der sieben Hügel Roms, den Vogelflug beobachtet um zu ermitteln, wer der neugegründeten Stadt den Namen geben sollte.
Boudicca 83	Königin der Icener, eines keltischen Volkes im römisch besetzten Britannien, die 61 n. Chr. einen Aufstand gegen die Römer anführte.
Britannia 82	England mit Wales und Schottland; Cäsar versuchte, B. zu erobern. Erst unter Kaiser Claudius wurde das südliche B. von den Römern besetzt und zur Provinz erklärt.
Britannus 63	Britannier
Brutus 26, 65	1. Lucius Junius Brutus befreite Rom von der Königsherrschaft und führte das Konsulat ein (509 v. Chr.). 2. Decimus Junius Brutus (84-43 v. Chr.), Mitverschwörer gegen Cäsar, später Gegner des Antonius

Caesar, -aris 38	Gaius Julius Caesar (100-44 v. Chr.), röm. Politiker und Feldherr. Er eroberte 58-51 ganz Gallien. Im Bürgerkrieg besiegte er 48 seinen Rivalen Pompeius und ließ sich das Amt des Diktators auf Lebenszeit übertragen. Am 15. März 44 wurde er von Mitgliedern des Senats unter Führung von Brutus und Cassius ermordet.
Campania 18	Landschaft in Mittelitalien mit ihrer Hauptstadt Capua. Der Vesuv und die Städte Pompeji, Herkulaneum und Stabiä liegen in Kampanien.
Cannae, -arum 54	Cannä; bei diesem Ort in Apulien schlug 216 v. Chr. Hannibal die Römer vernichtend.
Capitolium 29	Kapitol, der bedeutendste der sieben Hügel Roms mit einer Befestigungsanlage und Tempeln der kapitolinischen Trias (Jupiter, Juno, Minerva) und der Juno Moneta
Carolus Magnus 72	Karl der Große; fränkischer König und Begründer des Karolingischen Reiches, das große Teile Mitteleuropas umfasste; seit 800 n. Chr. Kaiser
Carthaginiensis, -is 39	Einwohner von Karthago
Carthago, -inis *f* 53	Karthago, Stadt in Nordafrika, Handelsmacht im westlichen Mittelmeerraum. Die Römer besiegten K. in zwei Kriegen (264-241, 218-201 v. Chr.) und zerstörten die Stadt endgültig 146 v. Chr.
Cassius 66	Er war an der Ermordung Cäsars 44 v. Chr. maßgeblich beteiligt. Bei Philippi wurde er 42 von Oktavian besiegt und endete durch Selbstmord.
Catilina, -ae 58	Anführer einer Verschwörung gegen den römischen Staat, die 63 v. Chr. von Cicero aufgedeckt wurde. C. fiel im Kampf gegen ein Heer des Senats.
Cato, -onis 58	Marcus Porcius Cato Uticensis tötete sich 46 v. Chr. in Utica nach dem Untergang der Republik. Er war die Idealgestalt des röm. Republikaners.
censor, -oris 24	Zensor: röm. Beamter, der u.a. die Steuerangelegenheiten verwaltete und den Lebenswandel der Bürger und Senatoren überwachte
Christiani 70	Die Christen
Christus 88	Beiname des Jesus von Nazareth
Cicero, -onis 56	Röm. Politiker und Schriftsteller (106-43 v. Chr.), bekleidete höchste Staatsämter, war 63 v. Chr. röm. Konsul, stand im Bürgerkrieg auf der Seite des Pompeius, wurde nach dessen Niederlage von Cäsar begnadigt; politisch kaltgestellt schrieb er mehrere philosophische Werke.
Cincinnatus 51	Röm. Nationalheld des 5. Jh. v. Chr., Bauer und Staatsmann in einer Person
Cleopatra 66	Königin von Ägypten seit 51 v. Chr., hatte von Cäsar einen Sohn, war später die Geliebte des Antonius; in der Schlacht bei Aktium floh sie mit ihren Schiffen und verursachte dadurch die Niederlage des Antonius.
Constantinus 70	Konstantin (röm. Kaiser 306-337 n.Chr.); er beendete mit dem Toleranzedikt von Mailand 312 die Christenverfolgungen. 330 verlegte er den Regierungssitz von Rom nach Byzanz, das er Konstantinopel nannte.
consul, -ulis 39	Höchster röm. Beamter
Corinthus *f* 46	Korinth; reiche griechische Handelsstadt am Isthmos, der Landbrücke zwischen Mittelgriechenland und der Peloponnes
Creta 46	Kreta, Insel im Mittelmeer
Croesus 7	Der letzte König der Lyder im 6. Jh. v. Chr.; er galt als der reichste Mann der Welt. Sein Reichtum war sprichwörtlich.
Daedalus 34	Dädalus (griechisch: Daidalos), sagenhafter Baumeister aus Athen, von dem das Labyrinth in Kreta angelegt worden sein soll
Danuvius 80	Donau; gegen Ende des 2. Jh. n. Chr. Grenze des römischen Reiches.
Delphi, -orum 29	In D., der wichtigsten Orakelstätte Griechenlands, wurde der Gott Apollo kultisch verehrt, der hier durch die Pythia Weissagungen erteilte.

dictator, -oris 51	Röm. Beamter, der auf Vorschlag des Senats für sechs Monate von einem Konsul ernannt wurde und über außerordentliche Vollmachten verfügte, um einen Notstand zu beheben
Diocletianus 70	Diokletian (röm. Kaiser 284-305 n. Chr.); er gliederte das Reich in vier große Verwaltungseinheiten, ging gegen alle grausam vor, die den Kaiserkult verweigerten, besonders gegen die Christen.
Diogenes, -is 43	Griech. Philosoph (404-323 v. Chr.); hauste in einem Vorratsgefäß und war bekannt für seine Bedürfnislosigkeit und Respektlosigkeit.
Erasmus 75	E. von Rotterdam (1466-1536) war einer der bedeutendsten Vertreter des Humanismus, der den allseitig gebildeten Menschen zu verwirklichen suchte.
Esquiliae, -arum 8	Esquilin; der größte der sieben Hügel Roms
Etruria 54	Landschaft in Italien (heute: Toscana)
Etruscus 49	Etrusker, Bewohner von Etrurien. Rom stand zeitweilig unter der Herrschaft der Etrusker, deren kultureller Einfluss sehr groß war.
Europa 33	Tochter des phönizischen Königs Agenor; von Zeus in Gestalt eines Stieres geraubt und nach Kreta gebracht. Nach ihr wurde der Erdteil Europa benannt.
Flaminius 54	Röm. Konsul, der im 2. Punischen Krieg von Hannibal am Trasimenischen See vernichtend geschlagen wurde
Fortuna 19	Glücksgöttin mit bedeutenden Kultstätten u. a. in Rom und Präneste
forum Romanum 1	Talsenke zwischen den Hügeln Kapitol, Palatin und Esquilin. Nach seiner Entwässerung wurde das f. R. zum Mittelpunkt Roms mit zahlreichen öffentlichen Bauwerken und Tempeln.
Gallia 38	Gallien; von Cäsar 58 - 51 erobert und seitdem röm. Provinz
Gallia Cisalpina 81	„Gallien diesseits der Alpen", Oberitalien
Gallus 52	Gallier, Bewohner von Gallien. Die Gallier brachten im Jahre 387 v. Chr. die Römer in große Gefahr.
Germania 14	Germanien, das Gebiet rechts des Rheins, von den Römern nur teilweise erobert
Germania Inferior 79	Untergermanien; röm. Provinz, mit Köln und Bonn
Germania Superior 79	Obergermanien; röm. Provinz, mit Mainz und Straßburg
Germanicus 81	Germanisch, zu Germanien gehörend
Germanus 63	Germane, Einwohner von Germanien
Graeci, -orum 25	Griechen, Einwohner von Griechenland
Graecia 16	Griechenland
Hamilcar, -aris 53	Vater des punischen Feldherrn Hannibal
Hannibal, -alis 53	Der Karthager Hannibal führte den 2. Punischen Krieg (218-201) gegen Rom. Erzfeind der Römer. Er tötete sich 183 v. Chr. durch Gift.
Hercules, -is 32	Lateinischer Name für Herakles, den berühmtesten griechischen Helden, der im Dienst seines Vetters Eurystheus zwölf Arbeiten verrichten musste
Hispania 16	Spanien, Pyrenäenhalbinsel; seit 197 v. Chr. röm. Provinz
Horatius 49	Horatius Cocles, röm. Held der Frühzeit; er verteidigte 507 v. Chr. als einziger die Tiberbrücke gegen die Etrusker unter König Porsenna.
Ianiculum 49	Hügel am rechten Ufer des Tiber
Icarus 34	(griechisch: Ikaros) Sohn des Dädalus
Italia 14	Italien; erst im 2. Jh. v. Chr. wird die gesamte Apenninenhalbinsel als I. bezeichnet.

Italicus, a, um 81	Italisch
Iuno, -onis 24	Juno, röm. Göttin, ursprünglich Mond- und Geburtsgöttin; in der röm. Dichtung wird sie der griechischen Hera, der Gattin des Zeus, gleichgesetzt.
Iuppiter, Iovis 24	Jupiter, röm. Gott, entspricht dem griechischen Zeus. Als I. Optimus Maximus war er der höchste Gott.
Lacedaemonii, -orum 45	Die Lakedämonier; auch Spartaner genannt; sie bewohnten die Landschaft Lakonien mit der Hauptstadt Sparta auf der Peloponnes und waren berühmt für ihre Anspruchslosigkeit und Disziplin.
libri Sibyllini 70	Sibyllinische Bücher; Bücher mit Weissagungen und Ratschlägen aus der Orakelstätte der Sibylle in Cumae (Unteritalien); sie wurden lange Zeit im Tempel des Jupiter auf dem Kapitol aufbewahrt.
lictor, -oris 7	Liktor: Begleiter hoher röm. Beamter in der Öffentlichkeit. Ein Konsul verfügte über zwölf L., die ihm auf der Straße Platz verschafften.
Livius 28	Röm. Geschichtsschreiber (59 v.-20 n. Chr.). Er schrieb eine röm. Geschichte von der Gründung der Stadt an (Ab urbe condita).
Macedones, -um 47	Die Makedonen; Bewohner von Makedonien (im Norden Griechenlands)
Macedonia 47	Makedonien; Landschaft im Norden Griechenlands, seit 48 v. Chr. röm. Provinz
Manlius 52	Marcus Manlius Capitolinus, der Retter des Kapitols 387 v. Chr.
Mars, Martis 20	Röm. Gott des Krieges
Martius, a, um 24	Dem Mars geweiht; auf dem campus Martius (Marsfeld) in Rom hatte Mars eine Kultstätte. Hier trat die Volksversammlung zusammen.
Mercurius 20	Gott der Diebe, Handeltreibenden und Reisenden. M. diente als Bote der Götter und Begleiter der Seelen in die Unterwelt.
Minerva 20	Röm. Göttin der Weisheit, der Handwerker und Künstler; entspricht der griechischen Athene.
Morus 93	Thomas Morus (More), englischer Staatsmann und Humanist (1478-1535), Vertrauter Heinrichs VIII.
Mucius 50	Gaius Mucius versuchte 508 v. Chr., den etruskischen König Porsenna zu töten. Er erhielt den Beinamen Scaevola („Linkshänder").
Musae, -arum 26	Töchter des Zeus, Göttinnen aller Künste
Neptunus 20	Röm. Gott des Meeres und der Flüsse; später mit dem griechischen Gott Poseidon gleichgesetzt.
Nero, -onis 91	Röm. Kaiser (37-68 n. Chr.). Der Philosoph Seneca war sein Lehrer. Machtberauschter Tyrann, der nicht nur absoluter Herrscher, sondern auch Rennfahrer, Schauspieler und Sänger sein wollte. Er setzte Rom in Brand und verfolgte die Christen.
Numitor, -oris 27	Großvater von Romulus und Remus, König von Alba Longa, von seinem Bruder Amulius gestürzt
Octavianus 66	Name des späteren Kaisers Augustus
Olympia 46	Heiliger Bezirk des Zeus in der Landschaft Elis auf der Peloponnes; Austragungsort der Olympischen Spiele in der Antike
Olympus 26	Berg in Nordgriechenland, Götterberg
Orpheus, -ei 35	Thrakischer Sänger, Ehemann der Eurydike
Ovidius 92	Publius Ovidius Naso (43 v. - 18 n. Chr.), Dichter der Metamorphosen, der Amores, der Ars amatoria und anderer Werke, Zeitgenosse des Augustus.
Palatium 28	Palatin, einer der sieben Hügel Roms, der älteste bewohnte Teil der Stadt

Pericles, -is 44	Perikles, athenischer Politiker, Redner und Feldherr; geb. 493 v. Chr., gest. 429 an der Pest zu Beginn des Peloponnesischen Krieges. In dem nach ihm benannten Zeitraum („Perikleisches Zeitalter") erlebte Athen eine Blüte der Kunst.
Persae, -arum 47	Die Perser; ihr Reich umfasste zur Zeit der größten Ausdehnung weite Gebiete Asiens und Ägypten
Pisistratus 48	Peisistratos, Tyrann von Athen (560-527 v. Chr.)
Plato, -onis 43	Plato(n); bedeutender griech. Philosoph, Schüler des Sokrates; gründete eine eigene Philosophenschule
Plinius 16	1. Plinius d. Ältere (23-79 n. Chr.), röm. Offizier und Verwaltungsbeamter, Wissenschaftler und Forscher 2. Plinus der Jüngere (62-113 n. Chr.), Neffe von 1., Anwalt und Staatsbeamter, bekannt durch seine „Briefe"
Pompeianus 64	Pompejaner, Anhänger des Pompeius
Pompeii, -orum 20	Pompeji, die im Jahre 79 n. Chr. während des Ausbruchs des Vesuvs verschüttete und heute zum Teil wieder ausgegrabene Stadt bei Neapel
Pompeius 59	Röm. Feldherr und Politiker (106-48); seine großen Erfolge im Krieg gegen die Seeräuber und an den östlichen Grenzen des Reiches brachten ihm eine führende Stellung in Rom ein; im Kampf um die Macht unterlag er Cäsar.
Porsenna, -ae 50	Etruskischer König, der den vertriebenen Tarquinius Superbus im Kampf gegen Rom unterstützte
Prometheus 32	Der Titan (Urgott) P. stahl den olympischen Göttern das Feuer und brachte es den Menschen. Er wurde dafür von Zeus grausam bestraft.
Pythagoras, -ae 60	Griechischer Philosoph (um 570-500 v. Chr.), Mathematiker und Physiker von großer Wirkung
Pythia 31	Priesterin des Apollo in Delphi, verkündete das Orakel
quaestor, -oris 39	Quästor; röm. Beamter, für die Staatskasse verantwortlich
Quintilianus 77	Professor für Rhetorik in Rom (etwa 35-95 n. Chr.), Verfasser eines bedeutenden Werkes über die „Ausbildung des Redners" (Institutio oratoria).
Regulus 55	M. Atilius Regulus, röm. Konsul und Feldherr im 1. Punischen Krieg
Remus 27	Zwillingsbruder des Romulus
Rhenus 63	Rhein, lange Zeit die Grenze des röm. Reiches nach Germanien
Roma 1	Rom, der Sage nach im Jahre 753 v. Chr. von Romulus gegründet; die älteste Siedlung befand sich auf dem Palatin, einem der sieben Hügel der Stadt.
Romanus 3	Römer; römisch
Romulus 27	Gründer der Stadt Rom, Sohn der Rea Silvia und des Gottes Mars, auf dem Tiber zusammen mit Remus, seinem Zwillingsbruder, in einem Kasten ausgesetzt, von einer Wölfin gesäugt, von dem Hirten Faustulus und seiner Frau Larentia aufgezogen
Sabinus 51	Sabiner, Angehöriger eines am Tiber siedelnden Stammes, der zunächst mit den Römern verfeindet war und später im röm. Volk aufging
Scipio, -onis 54	Röm. Feldherr und Sieger über Hannibal
senatus, -us 51	Der Senat war eine der drei Körperschaften, die in Rom die Regierungsgewalt hatten (neben den Beamten/Magistraten und der Volksversammlung). Ursprünglich bestand der S. aus den Ältesten der patrizischen Familien (patres), später auch aus Plebejern, die ein Amt bekleidet hatten.
Seneca 91	Philosoph der röm. Kaiserzeit (etwa 4 v. - 65 n. Chr.), Lehrer des Kaisers Nero, Verfasser zahlreicher Schriften über ethische Fragen .
Socrates, -is 44	Berühmter athenischer Philosoph (469-399 v. Chr.), der von den Athenern zu Unrecht wegen Gotteslästerung und Verführung der Jugend angeklagt und 399 hingerichtet wurde. Als Philosoph befasste er sich ausschließlich mit der sittlichen Vervollkommnung der Menschen.

Solo(n), -onis 48	Solon, athenischer Gesetzgeber, einer der sog. Sieben Weisen, 559 auf der Insel Zypern gestorben
Stabiae, -arum 19	Badeort am Golf von Neapel, beim Ausbruch des Vesuvs 79 n. Chr. verschüttet
Suetonius 63	Röm. Schriftsteller, Verfasser von Biographien röm. Kaiser einschließlich Cäsar und Augustus (etwa 70 - 140 n. Chr.)
Sulla, -ae *m* 58	Lucius Cornelius Sulla (138-78 v. Chr.), röm. Feldherr und Staats-mann, setzte seine Ziele durch Ermordung seiner Gegner durch, wurde Diktator ohne zeitliche Begrenzung, stärkte die Macht des Senats, indem er die Volksversammlung bedeutungslos werden ließ.
Tacitus 79	Röm. Historiker (etwa 55-120), Verfasser einer Schrift über die Germanen (Germania), der Annalen und der Historien, einer Geschichte der Jahre 14-96 n. Chr.
Tarquinius Superbus 26	Letzter etruskischer König in Rom, von Brutus vertrieben
Tartarus 35	Unterwelt, Reich der Toten
Thebae, -arum 46	Theben, Stadt in Mittelgriechenland
Theodosius 73	Flavius Theodosius, geb. in Nordspanien; letzter römischer Kaiser (379-395 n. Chr.) vor dem Zerfall des Römischen Reiches
Tiberis, -is *m* 27	Tiber: Hauptfluss in Mittelitalien, Grenze zwischen Etrurien und Latium; am Tiber liegt Rom.
Tiberius 71	Röm. Kaiser (14 - 37 n. Chr.)
tribunus militum 64	Militärtribun; Offizier im Stabe eines Feldherrn
tribunus plebis 39	Volkstribun, seit 494 v. Chr. vom Volk als Interessenvertreter gewählt; Volkstribunen konnten die Volksversammlung einberufen und rechtsgültige Beschlüsse fassen lassen.
Troia 25	Stadt an der Nordwestküste Kleinasiens, Schauplatz des Trojanischen Krieges, den die Griechen mit der Zerstörung der Stadt nach 10 Jahren Belagerung beendeten
Utopia 94	Name einer Insel im Werk des Engländers Thomas Morus: De optimo rei publicae statu, deque nova insula Utopia. „Utopia" bedeutet eigentlich „Nirgendwo".
Utopienses, -ium 94	Bewohner von Utopia
Utopiensis, e 94	Zu Utopia gehörend
Varus 67	Röm. Feldherr, der im Jahre 9 n. Chr. eine schwere Niederlage gegen die Germanen hinnehmen musste
Venus, -eris 20	Göttin der Liebe und Stammmutter der Römer; Mutter des Äneas
Vesta 6	Göttin des Herdes und des Herdfeuers mit einem Altar in einem Rundtempel auf dem Forum Romanum
Vesuvius 18	Vesuv, 1270 m hoher Vulkan, der bei seinem Ausbruch 79 n. Chr. die Städte Pompeji, Herkulaneum und Stabiä verschüttete

Lateinisch - deutsches Wörterverzeichnis

ab *m. Abl.* von, von ... her, von ... aus 6
abbas, abbatis *m* Abt 74
abdere, abdo, abdidi, abditum verbergen 50
abducere, abduco, abduxi, abductum wegführen 25
abesse, absum, afui abwesend sein, nicht da sein 16, 59
abicere, abicio, abieci, abiectum wegwerfen, ablegen 56
abire weggehen 51
abire *m. Abl.* weggehen von, verzichten auf 51
absens, absentis abwesend 78
absolvere, absolvo, absolvi, absolutum lösen, freisprechen, vollenden 89
abstinēre, abstineo, abstinui (a *m. Abl.*) fernhalten/abhalten (von), sich enthalten 35
absurdus, a, um sinnlos 94
abundare *m. Abl.* im Überfluss besitzen, reich sein an 9
ac/atque und (sogar) 16
accedere, accedo, accessi, accessum herankommen, hinzutreten 2, 28, 39
accidere, áccido, áccidi sich ereignen, geschehen 73
accipere, accipio, accepi, acceptum annehmen, vernehmen, empfangen 41
accusare anklagen 59
acer, acris, acre scharf, heftig; tatkräftig 28
acies, aciei *f* Schärfe; Schlacht, Schlachtordnung 70
acutus, a, um scharf, scharfsinnig, spitz 43
ad *m. Akk.* zu, zu ... hin, bei 6
ad rem publicam accedere sich dem Staatsdienst widmen, die politische Laufbahn einschlagen 39
addere, addo, addidi, additum hinzufügen 75
adducere, adduco, adduxi, adductum heranführen, veranlassen 53
adeo *Adv.* so sehr 35
adesse, adsum, adfui anwesend sein, da sein, beistehen, helfen 7, 59
adhibēre anwenden, hinzuziehen 29
adhuc *Adv.* bis jetzt, noch (immer) 6
adicere, adicio, adieci, adiectum hinzufügen, hinwerfen 53
adipisci, adipiscor, adeptus sum erreichen; erringen 84
adire, adeo, adii , aditum herangehen, aufsuchen; angreifen 51
adiuvare, adiuvo, adiuvi, adiutum *m. Akk.* unterstützen, helfen 4, 21, 34
administrare leiten, verwalten 39
admirabilis, e bewundernswert, sonderbar 19
admirari *(m. Akk.)* sich wundern (über), bewundern 87
admiratio, admirationis *f* Bewunderung 46
admittere, admitto, admisi, admissum zulassen, einlassen 45
adulescens, adulescentis *m* junger Mann 28
advenire, advenio, adveni, adventum (her)ankommen 88
adventus, adventus Ankunft 72
adversarius Gegner 22
adversus *m. Akk.* gegen 66
adversus, a, um entgegengesetzt, ungünstig, widrig 31
aedificare erbauen 26
aedificium Gebäude 13
aedilis, aedilis *m* Ädil (Beamter) 39
aegre *Adv.* mit Mühe 76
aequare *m. Akk.* jem. gleichkommen, erreichen 44
aequitas, aequitatis *f* Gleichheit, Gerechtigkeit; Gelassenheit 94
aequus, a, um gleich, gerecht; eben 41
aequo animo mit Gelassenheit 71
aer, aeris *m* Luft 34
aestimare einschätzen, beurteilen, meinen 45
aetas, aetatis *f* Lebensalter; Zeitalter 66
aeternus, a, um unvergänglich, ewig, unsterblich 71
afferre, affero, attuli, allatum (her)beibringen, melden 64
afficere, afficio, affeci, affectum *m. Abl.* versehen mit 32, 61
affirmare bekräftigen, behaupten 20
affligere, affligo, afflixi. afflictum niederschlagen, entmutigen 73
ager, agri *m* Acker, Feld 12
agere, ago, egi, actum (be)treiben, verhandeln, ausführen 6, 34
agger, aggeris *m* Damm 84
aggredi, aggredior, aggressus sum herangehen, angreifen 83
agmen, agminis *n* Zug, Heereszug 46
agrestis, e ländlich, bäurisch 75
agricola *m* Bauer 16
ait er sagt(e), behauptet(e) 70
ala Flügel 34
alere, alo, alui ernähren, fördern 15, 28
alibi *Adv.* anderswo 81
alienus, a, um fremd, abgeneigt; unpassend 93
aliquamdiu *Adv.* eine Zeitlang 87
aliquando *Adv.* einst, irgendwann 32
aliqui, aliqua, aliquod *adj.* irgendein 54
aliqua ex causa aus irgendeinem Grund 54
aliquis, aliquid *subst.* irgendeiner, irgendetwas 54
aliter *Adv.* anders, sonst 50
alius ... alius der eine ... der andere 22
alius, alia, aliud (*Gen.* alteríus *Dat.* alteri) ein anderer 14
alter, altera, alterum (*Gen.* alteríus *Dat.* alteri) der eine, der andere (von zweien) 38
altus, a, um hoch, tief 84
amare lieben, gern haben 8
ambitio, ambitionis *f* Bewerbung; Ehrgeiz 93
ambo, ambae, ambo beide 21

ambulare spazierengehen 10
amica Freundin 3
amicitia Freundschaft 54
amicus Freund 3
amittere, amitto, amisi, amissum aufgeben, verlieren 59
amoenus, a, um reizend (gelegen), angenehm 37
amor, amoris *m* Liebe 8
amphitheatrum Amphitheater 1
amplus, a, um weit, geräumig, bedeutend 13
an? oder? 40
anima Atem, Leben, Seele 35
animadvertere, animadverto, animadverti, animadversum wahrnehmen, beachten 52
animadvertere in *m. Akk.* vorgehen gegen 86
animus Seele, Geist, Herz, Mut, Gesinnung 8
animum attendere (attendo, attendi, attentum) aufpassen, beachten 75
annus Jahr 16
ante *m. Akk.* vor 24
  ante Christum natum (a. Chr. n.) vor Christi Geburt, vor Christus (v. Chr.) 47
antea *Adv.* vorher, früher 39
antequam *Subj. m. Ind.* bevor, ehe 35
antiquus, a, um alt, altertümlich 12
  antiquis temporibus in alten Zeiten 41
anxius, a, um ängstlich 71
aperire, aperio, aperui, apertum (er)öffnen, aufdecken 25
apostolus Apostel 72
apparere erscheinen, sich zeigen 27
apparet es ist klar, es ist offensichtlich 37
appellare anreden, (be)nennen 33
  appellare *m. dopp. Akk.* jem./etw. bezeichnen als, nennen 38
  appellare a *m. Abl.* benennen nach 41
apportare bringen, herbeitragen 4
appropinquare sich nähern 3
aptus, a, um passend, geeignet 56
apud *m. Akk.* bei 20
aqua Wasser 10
aquaeductus, aquaeductus Wasserleitung, Aquädukt 38
aquila Adler 32
ara Altar 7
arbitrari, arbitror, arbitratus sum meinen, glauben 82
arbitrium Entscheidung, Urteil 28
arbor, arboris *f* Baum 35
architectus Architekt 37
arcus, arcus Bogen (als Waffe oder Bauform) 31
ardere, ardeo, arsi, arsurus brennen, glühen 68
ardor, ardoris *m* Glut, Hitze; Leidenschaft 9
arena Sand, Kampfplatz, Arena 22
argentarius Geldwechsler, Bankier 1
argentum Silber, Geld 3
arma, armorum *Pl.* Waffen 22
armare bewaffnen 70
arripere, arripio, arripui, arreptum an sich reißen 89
arrogantia Anmaßung, Überheblichkeit 43
ars, artis *f* Kunst, Fertigkeit, Eigenschaft 26
artifex, artificis *m* Künstler 62
arx, arcis *f* Burg 29
ascendere, ascendo, ascendi hinaufsteigen, besteigen 7, 19
asper, a, um rauh, bitter, herb 37
assentiri, assentior, assensus sum zustimmen, beipflichten 94
assequi, assequor, assecutus sum erreichen 88
assiduus, a, um beharrlich, unablässig 93
at aber 85
atque / ac und (sogar) 16
auctor, auctoris *m* Urheber, Verfasser, Schriftsteller 58
auctoritas, auctoritatis *f* Ansehen, Einfluss 38
audacia Mut, Kühnheit 63
audax, audacis mutig, kühn 28
audēre, audeo, ausus sum wagen 57, 89
audire (zu)hören 9
augēre, augeo, auxi, auctum vermehren, vergrößern, fördern 26, 70
aula Hof 13
aureus, a, um golden 95
auris, auris *f* Ohr 71
  aures dare Gehör schenken, zuhören 71
aurum Gold 3
auspicium Vogelschau, Vorzeichen 28
aut oder 21
aut … aut entweder … oder 56
autem aber, jedoch 4
auxiliari helfen 82
auxilium Hilfe 15
  auxilio venire zu Hilfe kommen 57
avaritia Habsucht, Geiz 64
avertere, averto, averti, aversum abwenden 71
avia Großmutter 12
avis, avis *f* Vogel 32
avus Großvater 12

barba Bart 67
barbarus Barbar 69
basilica Markthalle, Gerichtshalle 1
beatus, a, um glücklich, gesegnet 62
bellum Krieg 16
belua Tier, Ungeheuer 69
bene *Adv.* gut 8
beneficium Wohltat; Auszeichnung 64
  beneficium conferre (in *m. Akk.*) (jem.) eine Wohltat erweisen 64
bestia (wildes) Tier 16
bibere, bibo, bibi trinken 61
bona, bonorum *Pl.* Güter, Besitz 29
bonus, a, um gut, tüchtig, rechtschaffen 15
bracchium Arm 68
brevis, e kurz 77
  brevi tempore in kurzer Zeit, bald darauf 81

cadere, cado, cecidi fallen, umkommen 21
caecus, a, um blind 59

caedere, caedo, cecidi, caesum fällen, niederhauen, töten 21, 52
caedes, caedis *f* Mord, Blutbad 50
caelestis, e himmlisch; *Pl.* Himmlische, Götter 33
caelum Himmel, Klima 32
calamitas, calamitatis *f* Unglück, Unheil, Niederlage 16
calidus, a, um warm, heiß 37
callidus, a, um schlau 76
campus Feld, Ebene 24
canere, cano, cecini singen, besingen, (ein Instrument) spielen 22
canis, canis *m/f* Hund, Hündin 43
cantus, cantus Gesang 62
capere, capio, cepi, captum fassen, ergreifen, erobern; begreifen 25, 34
capessere, capesso, capessivi, capessitum ergreifen 93
capra Ziege 15
captivus Gefangener 27
caput, capitis *n* Kopf, Haupt; Hauptstadt 24
capitis damnare zum Tode verurteilen 44
carcer, carceris *m* Gefängnis, Kerker 58
carēre *m. Abl.* nicht haben, entbehren 8
carmen, carminis *n* Lied, Gesang, Gedicht 24
caro, carnis *f* Fleisch 32
carus, a, um lieb, wert, teuer 33
castra, castrorum *Pl.* Lager 50
casu *Adv.* zufällig 21
casus, casus Fall, Zufall; *Pl.* Wechselfälle des Lebens 31
causa Sache, Grund; Rechtsstreit 40
causam agere einen Prozess führen 40
causa *nach Gen.* um ... willen, wegen 76
cavēre, caveo, cavi, cautum *m. Akk.* sich hüten, in Acht nehmen 65
cavēre, ne sich hüten, dass 65
cedere, cedo, cessi, cessum gehen; weichen, nachgeben 49
celeber, celebris, celebre viel besucht, berühmt, kultiviert 92
celer, celeris, celere schnell 28
celeritas, celeritatis *f* Schnelligkeit 90
cena Mahl(zeit) 10
cenare speisen, essen 19
censēre, censeo, censui, censum schätzen, meinen 55
censor, censoris *m* Zensor (Beamter) 24
cernere sehen, erkennen 87
certamen, certaminis *n* Kampf, Streit, Wettstreit 28
certare kämpfen, wetteifern 46
certe *Adv.* mit Gewissheit, sicherlich 44
certus, a, um sicher, gewiss 59
ceteri, ae, a *Pl.* die übrigen 27
cibus Speise, Essen, Nahrung 9
cingere, cingo, cinxi, cinctum umgeben, umgürten 95
cinis, cineris *m* Asche 18
circiter *Adv.* ungefähr 47
circum *m. Akk.* um (herum) 79
circumdare, circumdo, circumdedi, circumdatum umgeben 13, 29, 46
circumstare, circumsto, circumsteti herumstehen (um), umringen 43
circumvenire, circumvenio, circumveni, circumventum umringen, umzingeln 55
circus Zirkus, Rennbahn 92
cito *Adv.* schnell 85
civilis, e bürgerlich, öffentlich 66
civis, civis *m* Bürger 24
civitas, civitatis *f* Bürgerschaft; Staat, Gemeinde; Bürgerrecht 54
clades, cladis *f* Niederlage, Verlust 63
clade afficere *(m. Akk.)* (jem.) eine Niederlage beibringen 63
clam *Adv.* heimlich 10
clamare rufen, schreien 2
clamor, clamoris *m* Geschrei 14
clarus, a, um hell, klar; berühmt 79
classis, classis *f* Flotte 20
claudere, claudo, clausi, clausum (ver)schließen, abschließen 34
clemens, clementis mild, nachsichtig 41
clementia Milde, Nachsicht 66
coetus, coetus Zusammentreffen, Vereinigung, Versammlung 46
cogere, cogo, coegi, coactum zusammentreiben, sammeln; zwingen 48
cogi *Inf. Pass.* sich sammeln 82
cogitare überlegen 87
cognomen, cognominis *n* Beiname (zum Familiennamen) 56
cognoscere, cognosco, cognovi, cognitum kennen lernen, erkennen 19, 82
cognovisse kennen, wissen (kennen gelernt/erkannt haben) 86
cohors, cohortis *f* Kohorte 37
colere, colo, colui, cultum bebauen, pflegen, verehren 16, 34
colligere, colligo, collegi, collectum sammeln, zusammensuchen 25, 34
collis, collis *m* Hügel, Anhöhe 37
collocare aufstellen, anlegen 37
colloqui, colloquor, collocutus sum sich unterreden, unterhalten 88
colloquium Gespräch 75
collum Hals 85
colonus Siedler, Pächter, Bauer 15
color, coloris *m* Farbe 90
comes, comitis *m/f* Begleiter, Gefährte 9
comis, e freundlich, höflich 41
comitari begleiten 83
comitas, comitatis *f* Freundlichkeit, Höflichkeit 76
comitia, comitiorum *Pl.* Volksversammlung 45
commercium Handel, Verkehr 94
committere, committo, commisi, commissum zustande bringen, begehen; anvertrauen 40
commodum Vorteil 71
commodus, a, um angemessen, bequem 92

commovere, commoveo, commovi, commotum bewegen, veranlassen 35
communis, e gemeinsam, allgemein 29
commutatio, commutationis *f* Veränderung 68
comperire, comperio, comperi, compertum erfahren, in Erfahrung bringen 61
complecti, complector, complexus sum umarmen, erfassen 88
complures, complura mehrere, ziemlich viele 79
comprehendere, comprehendo, comprehendi, comprehensum ergreifen; begreifen 6, 50
conari versuchen 82
concedere, concedo, concessi, concessum erlauben, zugeben, nachgeben 75
concilium Versammlung 93
concipere, concipio, concepi, conceptum aufnehmen, empfangen 66
concitare antreiben, aufwiegeln 86
concludere, concludo, conclusi, conclusum einschließen; folgern 85
concordia Eintracht, Einigkeit 62
concurrere, concurro, concurri zusammenlaufen; zusammenstoßen 24
condere, condo, condidi, conditum gründen 27, 47
condicio, condicionis *f* Lage, Bedingung 14
conducere, conduco, conduxi, conductum zusammenführen, versammeln 47
conferre, confero, contuli, collatum zusammentragen; zusammenbringen, vergleichen 64
conficere, conficio, confeci, confectum vollenden, beenden, erledigen 67
confidere, confido, confisus sum vertrauen 89
confirmare bestärken, bestätigen; stärken 44
confiteri, confiteor, confessus sum gestehen, bekennen 94
confligere, confligo, conflixi, conflictum zusammenstoßen, kämpfen 91
conicere, conicio, conieci, coniectum zusammenwerfen, schleudern; vermuten 49
coniungere, coniungo, coniunxi, coniunctum verbinden, vereinigen 54
coniunx, coniugis *f* Ehefrau 52
coniurati, coniuratorum die Verschworenen 65
coniuratio, coniurationis *f* Verschwörung 50
consentire, consentio, consensi, consensum übereinstimmen, zustimmen 58
consequi, consequor, consecutus sum erreichen, einholen 94
considerare betrachten, bedenken 56
considere, consido, consedi sich setzen, sich niederlassen 65
consilium Plan, Rat; Ratsversammlung; Absicht, Beschluss 51
consilium capere einen Plan fassen 93
consilium inire einen Plan fassen 51
consistere, consisto, constiti sich hinstellen, Halt machen, stehen bleiben 24
consolatio, consolationis *f* Trost, Tröstung 61
conspectus, conspectus Anblick 85
conspicere, conspicio, conspexi erblicken, wahrnehmen 33
constantia Ausdauer, Standhaftigkeit 55
constare, consto, constiti feststehen; kosten 79
constare ex/in *m. Abl.* bestehen aus/in 79
constat *(m. AcI)* es steht fest, ist bekannt 55
constituere, constituo, constitui, constitutum aufstellen, festsetzen, beschließen 82
consuescere, consuesco, consuevi, consuetum sich (daran) gewöhnen 86
consuetudo, consuetudinis *f* Gewohnheit, Brauch; Umgang 90
consuevisse gewohnt sein, pflegen 86
consul, consulis *m* Konsul (ranghöchster Beamter) 39
consulatus, consulatus Konsulamt, Konsulat 39
consulere, consulo, consului, consultum
m. Dat. sorgen für
m. Akk. um Rat fragen 65, 77
consumere, consumo, consumpsi, consumptum verbrauchen 85
contemnere, contemno, contempsi, contemptum verachten 69
contendere, contendo, contendi, contentum sich anstrengen; kämpfen, eilen; behaupten 81
contentus, a, um zufrieden 13
continentia Enthaltsamkeit, Selbstbeherrschung 64
continere zusammenhalten, zurückhalten 78
contingit, contigit es gelingt, es glückt 67
contra *m. Akk.* gegen 31
contrahere, contraho, contraxi, contractum zusammenziehen 47
controversia Meinungsverschiedenheit, Streit 40
contumelia Beleidigung, Kränkung 43
convenire, convenio, conveni, conventum zusammenkommen; zusammenpassen; sich einigen 40
convertere, converto, converti, conversum umwenden, hinwenden; verändern 63
convivium Gastmahl, Gelage 46
convocare zusammenrufen, berufen 55
copia Vorrat, Menge, Möglichkeit 54
copiae, copiarum *Pl.* Truppen, Streitkräfte 54
copias traducere Alpes Truppen über die Alpen führen 54
copiosus, a, um reich, wortreich 74
cor, cordis *n* Herz 60
cordi esse am Herzen liegen 60
corona Kranz; Krone 72
coronare bekränzen; krönen 72
corpus, corporis *n* Körper 16
corrumpere, corrumpo, corrupi, corruptum verderben, vernichten 48
cottidie *Adv.* täglich 88
cras *Adv.* morgen 10
crassus, a, um dick, plump 81
creare wählen; (er)schaffen 39

credere, credo, credidi, creditum glauben, anvertrauen 75
crescere, cresco, crevi wachsen, zunehmen 95
crinis, crinis *m* Haar 43
cruciatus, cruciatus Qual, Folter 32
cruciatibus afficere quälen 32
crudelis, e grausam 32
crudelitas, crudelitatis *f* Grausamkeit 29
crux, crucis *f* Kreuz(zeichen) 88
culpa *(m. Gen.)* Schuld (an) 40
cultus, a, um geschmückt, gebildet 92
cultus, cultus Pflege, Bildung, Verehrung; Lebensweise 38
cum *m. Abl.* mit, zusammen mit 6
cum *Subj. m. Ind.* als, wenn (zeitlich) 25
cum Subj. m. Konj. als, nachdem 65, da, weil; obwohl, obgleich; während (dagegen) 70
cunctari zögern, zaudern 82
cuncti, cunctae, cuncta *Pl.* alle 39
cupere, cupio, cupivi begehren, wünschen, wollen 13, 44
cupido, cupidinis *f* Verlangen, Leidenschaft 93
cupidus, a, um *m. Gen.* begierig nach, eifrig in 76
cur? warum? 4
cura *(m. Gen.)* Sorge (für) 39
curare m. Akk. sorgen für, sich kümmern um; pflegen 39
curia Rathaus, Kurie 1
curiam petere die Kurie aufsuchen, zur Kurie eilen 4
currere, curro, cucurri laufen, rennen 21
currus, currus Wagen, Streitwagen 77
currus communis „Omnibus" 77
cursor, cursoris *m* Läufer 46
cursus, cursus Lauf(bahn), Kurs 31
cursus honorum Ämterlaufbahn 39
custodia Bewachung, Haft 58
custodire bewachen, (be)hüten 15
custos, custodis *m* Wächter, Beschützer 9

damnare verurteilen, schuldig sprechen 44
dare, do, dedi, datum geben 4, 29, 41
se dare sich hingeben, widmen 43
de *m. Abl.* von, von ... herab, von ... her; über 18
de vita decedere sterben, umkommen 18
dea Göttin 7
debēre, debeo, debui, debitum müssen, sollen, schulden 7, 40
decedere, decedo, decessi weggehen; sterben 18
decem zehn 22
decernere, decerno, decrevi, decretum entscheiden, beschließen 67
decertare bis zur Entscheidung kämpfen 90
decet, decuit es passt, gehört sich 75
decipere, decipio, decepi, deceptum täuschen 76
declarare verkünden, erklären 46
decus, decoris *n* Schmuck, Zierde, Ehre 37
dedere, dedo, dedidi, deditum hingeben, ausliefern 61
deducere, deduco, deduxi, deductum abführen, wegführen 58
deesse, desum, defui fehlen, mangeln 3, 32
defendere, defendo, defendi, defensum verteidigen, abwehren 31, 48
deferre, defero, detuli, delatum herabbringen; überbringen, melden 64
deinde *Adv.* dann; darauf 20
delectare erfreuen, unterhalten 31
delēre, deleo, delevi, deletum zerstören, vernichten 18
deliberare erwägen, überlegen 58
deligere, deligo, delegi, delectum (aus)wählen 83
demittere, demitto, demisi hinabschicken, herablassen, eintauchen 33
demonstrare zeigen, beweisen 38
demum *Adv.* endlich, erst 53
denegare abschlagen, verweigern; leugnen 47
dénique *Adv.* endlich, schließlich, zuletzt 21
dens, dentis *m* Zahn 48
denuntiare ankündigen 65
denuo von Neuem 70
deponere, depono, deposui, depositum ablegen, absetzen, abstellen 48
deridere, derideo, derisi, derisum verlachen, verspotten 22, 43
descendere, descendo, descendi herabsteigen 6, 19
deserere, desero, deserui, desertum verlassen, im Stich lassen; aufgeben 63
desiderare *m. Akk.* verlangen, sich sehnen nach, vermissen 8
desiderium *(m. Gen.)* Sehnsucht, Verlangen (nach) 35
desilire, desilio, desilui herabspringen 49
desistere, desisto, destiti *(m. Abl.)* aufhören (mit) 13, 72
desperare (de *m. Abl.*) verzweifeln (an) 33
destinare festsetzen, bestimmen 46
destituere, destituo, destitui, destitutum im Stich lassen, verlassen 65
detegere, detego, detexi, detectum aufdecken, enthüllen 44
deterrere abschrecken, abbringen 43
detrahere, detraho, detraxi, detractum herabziehen, entreißen 65
detrimentum Nachteil, Schaden 58
deus Gott, Gottheit 7
devincere, devinco, devici, devictum (völlig) besiegen 73
devorare verschlingen 48
dextra rechte Hand 25
dicere, dico, dixi, dictum sagen, sprechen, behaupten, nennen 20, 49
dictum *Subst.* Wort, Ausspruch 78
dies, diei *m* Tag 46
dies natalis Geburtstag 72

dies noctesque *Akk.* Tag und Nacht 50
differre, differo, distuli, dilatum aufschieben; verschieden sein 65
difficilis, e schwierig, mühsam 39
digitus Finger 92
dignitas, dignitatis *f* Würde, Ansehen 56
dignus, a, um *m. Abl.* würdig 58
diligens, diligentis sorgfältig 78
diligentia Sorgfalt, Umsicht 7
diligere, diligo, dilexi, dilectum lieben, schätzen 63
dimittere, dimitto, dimisi, dimissum wegschicken, entlassen 4, 58
discedere, discedo, discessi auseinandergehen, weggehen 6, 18
discere, disco, didici lernen 32
disciplina Erziehung, Zucht; Unterricht, Fach 38
discipulus Schüler 76
discordia Zwietracht 62
discrimen, discriminis *n* Entscheidung, Unterschied 71
disputare diskutieren, erörtern 2
dissentire a *m. Abl.* jem. nicht beistimmen 77
disserere, dissero, disserui, dissertum besprechen, sprechen über, erörtern 81
dissimilis, e *(m. Abl.)* unähnlich (in) 79
dissimulare verheimlichen, verbergen 45
dissipare zerstreuen, vergeuden 85
distare entfernt sein 47
distribuere, distribuo, distribui, distributum verteilen, einteilen 38
diu Adv. lange (Zeit) 13
diversus, a, um verschieden 78
dives, divitis reich 60
dividere, divido, divisi, divisum teilen, trennen 27
divinus, a, um göttlich, heilig 74
divitiae, divitiarum *Pl.* Reichtum 60
docēre, doceo, docui, doctum lehren, unterrichten 32, 34
  docēre *m. dopp. Akk.* jem. belehren über/unterweisen in 32
doctrina Unterricht, Wissenschaft 62
dolēre Schmerz empfinden, leiden, bedauern 59
dolor, doloris *m* Schmerz, Leid 59
domare, domo, domui, domitum zähmen, bezwingen 63
domicilium Wohnung, Haus 6
domina Herrin 1
dominus Herr 1
domus, domus *f* Haus 31
  domi zu Hause 53
  domo von zu Hause 81
  domum nach Hause 54
donare (be)schenken 8
donec Subj. solange (als), (so lange) bis 65
donum Gabe, Geschenk 68
dormire schlafen 10
draco, draconis *m* Drache 88
dubitare zögern, zweifeln 7
dubium *n (Subst.)* Zweifel 43
dubius, a, um zweifelhaft 44
ducere, duco, duxi, ductum führen, ziehen 12, 50
  ducere *m. dopp. Akk.* halten für 77
dulcis, e süß, angenehm; lieb 35
dum *Subj.* solange (als), (solange) bis; während, solange 4, 65
duo, duae, duo zwei 20
duplex, duplicis doppelt 28
durus, a, um hart, hartherzig 14
dux, ducis *m* Anführer, Feldherr 55

e / ex *m. Abl.* aus ... heraus, von ... aus, von ... an; infolge 6
ecce! siehe! seht! schau! schaut! 3
ecclesia Kirche 72
edicere verkünden, anordnen 46
educare erziehen, aufziehen 27
efficere, efficio, effeci, effectum bewirken, durchsetzen 62
effugere, effugio, effugi *m. Akk.* entfliehen, entkommen 34
egēre *m. Abl.* nicht haben, nötig haben 8
egredi, egredior, egressus sum *m. Abl.* herausgehen, verlassen 82
egregius, a, um hervorragend, ausgezeichnet 46
elegans, elegantis geschmackvoll, fein, gewählt 37
eligere, eligo, elegi, electum auswählen 74
eloquentia Beredsamkeit; Redegewandtheit 62
emendare verbessern 48
emere, emo, emi, emptum kaufen 6, 48
enim denn, nämlich 21
eo *Adv.* dahin, dorthin 46
eo magis um so mehr 90
episcopus Bischof 72
epistula Brief 19
epulari speisen 85
eques, equitis *m* Reiter, Ritter 47
equidem (ich) freilich, allerdings 77
equitatus, equitatus Reiterei 82
equus Pferd 25
ergo *Adv.* also 76
eripere, eripio, eripui, ereptum entreißen 72
errare (sich) irren, sich täuschen 93
error, erroris *m* Irrtum, Fehler 74
erudire unterrichten, (aus)bilden 74
eruditio, eruditionis *f* Erziehung, Bildung 74
esse, sum, fui sein, sich befinden 2, 7, 18
est es gibt 2
et und, auch 2
et ... et sowohl ... als auch 4
etiam auch, sogar 14
  etiam nunc *Adv.* auch jetzt noch 54
etiamsi *Subj. m. Ind.* wenn auch, auch wenn 25
evenire, evenio, eveni, eventum sich ereignen, passieren 40
eventus, eventus Ausgang 70

evertere, everto, everti, eversum umstürzen, zerstören 94
excipere, excipio, excepi, exceptum herausnehmen, aufnehmen 49
excitare aufwecken, erregen 52
exclamare ausrufen 73
exemplum Beispiel, Vorbild 20
exercere, exerceo, exercui üben, betreiben 46
exercitatio, exercitationis *f* Übung 90
exercitus, exercitus Heer 53
exigere, exigo, exegi, exactum (ein)fordern, vollenden 81
exiguus, a, um klein, gering, unbedeutend 37
eximius, a, um ausnehmend, außerordentlich 81
exire, exeo, exii hinausgehen 65
existimare schätzen, meinen 20
exitus, exitus Ende, Ausgang 91
expellere, expello, expuli, expulsum heraustreiben, vertreiben 57
explicare erklären 12
explorare erforschen 78
exponere, expono, exposui, expositum darlegen 55
expugnare erobern 26
exspectare (ab)warten, erwarten 10
exstinguere, exstinguo, exstinxi auslöschen, vernichten 18
exstruere, exstruo, exstruxi, exstructum aufschichten, errichten 84
exsultare jubeln, jauchzen 46
exterior, exterius der äußere 80
extra *m. Akk.* außerhalb 18
extremus, a, um der äußerste, letzte 79

faber, fabri Handwerker, Arbeiter 81
fabricare herstellen, anfertigen 95
fabula Geschichte, Sage, Theaterstück, Fabel 48
facere, facio, feci, factum machen, tun, handeln 13, 31, 34
facere *m. dopp. Akk.* jem. machen zu 51
facies, faciei *f* Gesicht, Aussehen 87
facile *Adv.* leicht 90
facilis, e leicht (machbar) 37
facinus, facinoris *n* Tat; Untat, Verbrechen 40
factum *Subst.* Heldentat, Tat 56
facultas, facultatis *f* Möglichkeit, Fähigkeit 81
fallere, fallo, fefelli täuschen; unbemerkt bleiben 52
falso *Adv.* fälschlich 27
falsus, a, um falsch, irrig 62
fames, famis *f* Hunger 85
familia Hausgemeinschaft, Familie 15
familiaris, e vertraut, bekannt; *Subst.* Freund 19
fatigare ermüden, mürbe machen 72
fatum Götterspruch, Schicksal, Geschick 71
favēre, faveo, favi *m. Dat.* gewogen sein, schwärmen (für) 69
favor, favoris *m* Gunst, Beifall 90
felix, felicis glücklich 28
femina Frau 25
fere *Adv.* ungefähr, fast 74
ferox, ferocis wild, trotzig 44
ferre, fero, tuli, latum tragen, bringen; ertragen 64
ferrum Eisen, Schwert 84
ferus, a, um wild 27
fessus, a, um müde, erschöpft 12
fides, fidei *f* Treue, Glaube, Verlässlichkeit 41
fidem dare sein Wort geben 41
fidem praestare die Treue halten 59
fidem servare sein Wort halten 41
fiducia Vertrauen; Zuverlässigkeit 83
fidus, a, um treu, zuverlässig 37
fieri, fio, factus sum werden, geschehen; gemacht werden 67
figere, figo, fixi, fixum (an)heften, befestigen 59
filia Tochter 73
filius Sohn 21
finire begrenzen, beenden 80
finis, finis *m* Grenze, Ende, Ziel; *Pl.* Gebiet 24
finitimus, a, um angrenzend, benachbart 15
firmus, a, um stark, fest, zuverlässig 12
flagitium Schandtat, Bosheit 57
flagrare brennen, lodern 18
flamma Flamme, Feuer, Glut 7
flavus, a, um gelb, blond 79
flectere, flecto, flexi, flexum biegen, beugen, umwenden 35
flēre, fleo, flevi (be)weinen 22
florēre, floreo, florui blühen 48
flos, floris *m* Blume, Blüte 92
flumen, fluminis *n* Fluss 49
fluvius Fluss 27
fore/futurum esse sein werden 43
forma Form, Schönheit, Aussehen 20
fortasse *Adv.* vielleicht 39
forte *Adv.* zufällig 35
fortis, e tapfer, mutig 19
fortuna Schicksal, Glück 19
forum Marktplatz, Forum 1
fossa Graben 95
frangere (zer)brechen 10
frater, fratris *m* Bruder 27
fraus, fraudis *f* Täuschung, Betrug 9
frequens, frequentis zahlreich, häufig 81
frigidus, a, um kalt, starr 80
frigus, frigoris *n* Kälte 80
frons, frontis *f* Stirn, Vorderseite 86
fructus, fructus Frucht; Nutzen 54
fruges, frugum *f* (Feld)früchte 68
frui, fruor *m. Abl.* genießen, sich erfreuen an 83
frumentum Getreide 6
frustra *Adv.* vergeblich 25
fuga Flucht 20
fuga salutem petere das Heil in der Flucht suchen 20
fugare vertreiben, in die Flucht schlagen 9

fugere, fugio, fugi *(m. Akk.)* fliehen (vor), meiden 49
me fugit es entgeht mir 71
fundamentum Grundlage, Fundament 62
fundus Boden, Grundstück, Landgut 12
fungi, fungor, functus sum *m. Abl.* verrichten, verwalten 83
fur, furis *m/f* Dieb, Diebin 7
furor, furoris *m* Raserei, Wahnsinn 86
futura, futurorum *Pl.* Zukunft 26
futurum esse/fore sein werden 43
futurus, a, um zukünftig 26

gaudēre, gaudeo, gavisus sum sich freuen 3, 89
gaudium Freude, Vergnügen 59
gemere, gemo, gemui, gemitum seufzen, stöhnen 90
geminus, a, um doppelt, Zwillings- 27
gens, gentis *f* Geschlecht; Stamm, Volk 26
gentem nobilem reddere eine Familie berühmt machen 56
genus, generis *n* Geschlecht, Art 62
gerere, gero, gessi, gestum tragen, (aus)führen 16, 41
se gerere sich betragen/verhalten 41
gignere, gigno, genui, genitum (er)zeugen, hervorbringen 95
gladiator, gladiatoris *m* Gladiator, Schwertkämpfer 21
gladius Schwert 21
gloria Ruhm, Ehre 26
gradus, gradus Schritt, Stufe; Rang 39
gratia Dank; Gunst; Beliebtheit 64
gratiam referre danken 64
gratias agere danken 81
gratus, a, um dankbar; angenehm, willkommen 37
gravis, e schwer; ernst, angesehen 67
graviter ferre *(m. Akk.)* ungern ertragen, sich ärgern (über) 78
grex, gregis *m* Herde, Schar 76

habēre, habeo, habui, habitum haben, halten; besitzen 8, 18
se habēre sich verhalten, beschaffen sein 81
habēre *m. dopp. Akk.* jem. haben als/besitzen als 26
habitare (be)wohnen 26
habitus, habitus Aussehen, Verhalten 75
haerēre, haereo, haesi hängen, stecken bleiben, 49
haruspex, haruspicis *m* Weissager, Opferschauer 24
haud nicht 61
haurire, haurio, hausi, haustum schöpfen, trinken 44
heu! ach! weh! 32
heu me! wehe mir! 88
hic *Adv.* hier 2
hic, haec, hoc dieser; folgender 40
hiems, hiemis *f* Winter, Kälte 72
hilaris, e heiter, froh, vergnügt 19
hinc *Adv.* von hier aus, von da an 19
hodie *Adv.* heute 76
homo, hominis *m* Mensch 14
honestus, a, um angesehen; anständig 41
honos, honoris *m* Ehre, Ehrenamt 39
honore afficere *(m. Akk.)* (jem.) eine Ehre erweisen 46
hora Stunde, (Jahres)zeit 73
hortari auffordern, mahnen, ermuntern 82
hospes, hospitis *m* Gast(freund), Fremder 10
hostia Opfertier 32
hostis, hostis *m/f* Feind 29
huc *Adv.* hierher, hierhin (Frage: wohin?) 90
humanitas, humanitatis *f* Menschlichkeit; Bildung 63
humanus, a, um menschlich, menschenfreundlich, gebildet 31
humilis, e niedrig, gering; demütig 69
humus *f* Erdboden, Boden 80

iacere liegen 3
iactare werfen 69
iam schon, bereits 2
ibi da, dort 2
ictus, ictus Stich, Hieb, Stoß 65
idcirco *Adv.* deswegen 86
idem, eadem, idem derselbe, der gleiche 52
ideo *Adv.* deswegen, deshalb 89
idoneus, a, um geeignet 74
Idus, Iduum *f* die Iden (15. bzw. 13. Tag eines Monats) 65
Idus Martiae die Iden des März (15. März) 65
igitur also, folglich 34
ignarus, a, um unwissend, unkundig 29
ignavia Feigheit, Trägheit 69
ignavus, a, um feige 49
ignis, ignis m Feuer 32
ignobilis, e unbekannt, unbedeutend 56
ignominia Schande 77
ignorare nicht wissen, nicht kennen 13
ignotus, a, um unbekannt 60
ille, illa, illud jener 40
illo loco an jener Stelle (wo?) 40
illuc *Adv.* dorthin, dahin (Frage: wohin?) 90
illudere, illudo, illusi, illusum verspotten 81
illustrare erhellen, erklären 62
illustris, e glänzend, berühmt 19
imber, imbris *m* Regen(guss) 93
imminere hereinragen, bevorstehen, drohen 9
immo *Adv.* ja sogar, im Gegenteil 7
immolare opfern 24
immortalis, e unsterblich 57
impedire (be)hindern 37
impedire, ne *m. Konj.* daran hindern, dass; verhindern, dass 82
impendere, impendo, impendi, impensum aufwenden, ausgeben 8, 74
imperare *m. Dat.* befehlen, gebieten, herrschen (über) 24

iste, ista, istud dieser, der da 40
ita *Adv.* so 8
itaque deshalb, daher 7
iter, itineris *n* Weg, Reise, Marsch 38
iterum *Adv.* wiederum, zum zweiten Mal 8
iterum atque iterum immer wieder 16
iubēre, iubeo, iussi, iussum beauftragen, befehlen, anordnen 20, 44
iucundus, a, um erfreulich, angenehm 31
iudex, iudicis *m* Richter 40
iudicare Recht sprechen, (be)urteilen, entscheiden 2
iungere, iungo, iunxi, iunctum verbinden, vereinigen 35
iurare schwören 53
ius, iuris *n* Recht 40
iusiurandum Eid, Schwur 89
iussu *Abl.* auf Befehl, auf Geheiß 47
iustitia Gerechtigkeit 41
iustus, a, um gerecht; rechtmäßig 41
iuvat, iuvit es erfreut, macht Spaß 22
iuvenis, iuvenis *m* junger Mann 50
iuventus, iuventutis *f* Jugend 50
iuxta *m. Akk.* neben 21

labor, laboris *m* Arbeit, Mühe, Anstrengung 14
laborare arbeiten, leiden 10
lac, lactis *n* Milch 79
lacessere, lacesso, lacessivi, lacessitum reizen 43
lacrima Träne 61
laetitia Fröhlichkeit 34
laetus, a, um fröhlich, munter 13
lapis, lapidis *m* Stein 18
latro, latronis *m* Räuber 27
latus, a, um breit, weit 12
laudare loben, gutheißen 12
laus, laudis *f* Lob, Ruhm 50
legatio, legationis *f* Gesandtschaft 76
legatus Gesandter; Legat 51
legere, lego, legi, lectum lesen 61
legio, legionis *f* Legion 67
lenire mildern, besänftigen 61
leo, leonis *m* Löwe 91
lepidus, a, um unterhaltsam, witzig 91
lex, legis *f* Gesetz, Bedingung 41
libenter *Adv.* gern 78
liber, libera, liberum frei 19
liber, libri *m* Buch 61
liberalis, e großzügig, edel, hochherzig 45
liberare (a *m. Abl.*) befreien (von) 7
liberi, liberorum *Pl.* Kinder 12
libertas, libertatis *f* Freiheit; Freiheitsliebe 41
licentia Freiheit, Willkür, Erlaubnis 48
licet, licuit es ist erlaubt 31
lictor, lictoris *m* Liktor 7
ligare binden 89
limes, limitis *m* Grenze, Grenzwall 84
lingua Sprache, Zunge 10
litterae, litterarum *Pl.* Brief, Literatur, Wissenschaft 61
litus, litoris *n* Küste, Strand, Meeresufer 19
locus Ort, Platz, Stelle 4
  loca, locorum *n* Orte, Gegend(en) 80
  locum castris deligere einen Platz für das Lager auswählen 83
  locum dare Platz machen 4
longinquus, a, um weit entfernt; langwierig 38
longum est es würde zu weit führen 75
longus, a, um lang, weit, langdauernd 12
loqui, loquor, locutus sum sprechen, reden 83
lucrum Gewinn, Profit 43
ludere, ludo, lusi, lusum spielen, scherzen 15, 40
ludibrium Spott, Beleidigung 4
ludus Spiel, Scherz; Schule; *Pl.* Zirkusspiele 21
lustrum Sühnopfer; Zeitraum von fünf Jahren 24
lux, lucis *f* Licht, Helligkeit 9
luxuria Überfluss; Verschwendungssucht 41
luxuriosus, a, um ausschweifend, üppig 85
lyra Lyra (siebensaitiges Instrument) 31

magis *Adv.* mehr, in höherem Grade 80
magister, magistri *m* Lehrer 13
magistratus, magistratus Beamter; Amt 38
  magistratum inire ein Amt antreten 51
magnitudo, magnitudinis *f* Größe 67
magnus, a, um groß 12
  magna voce mit lauter Stimme 13
  magni (pretii) esse viel wert sein 45
  magni aestimare hochschätzen, hoch einschätzen 45
  magni putare hoch einschätzen 45
  magnum iter Eilmarsch 83
maiestas, maiestatis *f* Erhabenheit, Ansehen 38
maior, maius größer, älter 79
maiores, maiorum *m* die Vorfahren 77
male *Adv.* schlecht 13
malle, malo, malui lieber wollen 53
malus, a, um schlecht, böse, schlimm 18
manare fließen 95
mandare anvertrauen, übergeben 24
mandatum *Subst.* Auftrag 51
mane *Adv.* am Morgen 91
manēre, maneo, mansi bleiben, warten (auf) 20
manus, manus *f* Hand, Schar 31
  manus sibi afferre Hand an sich legen, Selbstmord begehen 68
mare, maris *n* Meer 29
maritus Ehemann 65
mater, matris *f* Mutter 25
matrimonium Ehe 81
matrona Frau, Ehefrau, Dame 3
maxime *Adv.* am meisten, im höchsten Grad 80
maximus, a, um der größte 52
  maximus quidam der allergrößte 80

mea (tua/sua) sponte von selbst, absichtlich 50
mediocris, e mittelmäßig; gering, unbedeutend 90
medius, a, um der mittlere 69
  media in pace mitten im Frieden 83
mehercle! beim Herkules! 50
melior, melius besser, tüchtiger 79
meminisse *(m. Gen./Akk.)* sich erinnern (an); daran denken 86
memoria Gedächtnis, Erinnerung; Überlieferung 66
  memoriae mandare sich merken 73
  memoriae tradere (geschichtlich) überliefern 79
mens, mentis *f* Geist, Verstand 59
mensa Tisch 6
mensis, mensis *m* Monat 75
mercator, mercatoris *m* Kaufmann, Händler 1
merces, mercedis *f* Lohn, Sold, Honorar 47
  mercede conducere um Sold anwerben 47
merēre, mereo, merui, meritum verdienen 91
meridies, meridiei *m* Mittag, Süden 91
merito *Adv.* verdientermaßen, mit Recht 94
merx, mercis *f* Ware 45
metuere, metuo, metui fürchten 69
metus, metus Furcht, Angst 31
meus, mea, meum mein 15
miles, militis *m* Soldat 16
militaris, e soldatisch, militärisch, Kriegs- 93
mille; *Pl.* milia tausend 47
mille passus 1 Meile (ca. 1,5 km) 47
minari drohen, androhen 95
minimus, a, um der kleinste, geringste 79
minime *Adv.* sehr wenig 90
minister, ministri Diener, Untergebener 71
minor, minus kleiner, geringer 79
minus *Adv.* weniger 50
minuere, minuo, minui, minutum vermindern, schwächen 78
miraculum Wunder, Wunderding 3
mirari *(m. Akk.)* sich wundern (über) 87
mirus, a, um wunderbar, sonderbar 80
miser, misera, miserum elend, unglücklich, arm 15
miseria Not, Elend, Unglück 15
misericordia Mitleid, Barmherzigkeit 8
mittere, mitto, misi, missum schicken, gehen lassen, werfen 22, 66
modestia Anstand, Bescheidenheit 75
modestus, a, um bescheiden, anständig 75
modo *Adv.* nur 20
modus Art, Weise 34
moenia, moenium *n Pl.* Mauern 29
molestus, a, um beschwerlich, lästig 37
mollis, e weich, sanft; weichlich 43
monasterium Kloster 74
monēre (er)mahnen, warnen 7
monitum *Subst.* Ermahnung 89
mons, montis *m* Berg, Hügel 12
monstrare zeigen 8
monumentum Denkmal, Grabmal 1
mora Aufschub, Verzögerung 73
morari (ver)zögern, (sich) aufhalten 83
mori, morior, mortuus sum sterben 88
mors, mortis *f* Tod 50
mortalis, e sterblich; *Plur.* Menschen 95
mortuus, a, um tot 20
mos, moris *m* Sitte, Brauch; *Pl.* Charakter 26
  more Persarum nach Persersitte 47
motus, motus Bewegung, Erregung 48
movēre, moveo, movi, motum bewegen, beeinflussen 13, 29, 65
mox *Adv.* bald 22
mulier, mulieris *f* Frau, Ehefrau 81
multi, ae, a *Pl.* *viele 12*
  multos annos viele Jahre lang 16
  multos dies viele Tage lang 81
  multum temporis viel Zeit 74
  multum, plus, plurimum viel, mehr, am meisten 80
multitudo, multitudinis *f* Menge, Vielzahl 22
mundus Welt(all) 16
munire befestigen, verschanzen 84
munus, muneris *n* Geschenk; Aufgabe, Amt 72
murus Mauer 26
mutare (ver)ändern 33

nam denn, nämlich 3
nancisci, nanciscor, nactus/nanctus sum (zufällig) erreichen, bekommen 82
narrare erzählen 18
nasci, nascor, natus sum geboren werden, entstehen; vorkommen 84
natio, nationis *f* Volk, Volksstamm 14
natura Natur, Wesen 34
natus, a, um geboren 73
natu maior älter 73
navigare (Schiff) fahren, segeln 48
navis, navis *f* Schiff 19
ne ... quidem nicht einmal 35
ne *m. Konj. Perf.* (ja) nicht! (abwehrend) 61
ne *Subj. m. Konj.* dass nicht; damit nicht 60, 63
-ne? (unübersetzte Fragepartikel) 39
nec/neque und nicht, auch nicht, aber nicht 3
necare töten 19
necessarius, a, um notwendig; nahestehend, verwandt 80
necesse est es ist notwendig 33
necessitas, necessitatis *f* Notwendigkeit, Notlage 73
nefarius, a, um verbrecherisch, gottlos 86
negare leugnen; sagen, dass nicht 55
neglegentia Nachlässigkeit, Vernachlässigung 7
neglegere, neglego, neglexi, neglectum vernachlässigen, übersehen 62
negotium Geschäft, Aufgabe 6
  negotia agere (seinen) Geschäften nachgehen 6

nemo, neminis niemand 54
nequaquam Adv. keineswegs 85
neque ... neque/nec ... nec weder ... noch 3
neque/nec und nicht, auch nicht, aber nicht 3
neque tamen und trotzdem nicht 16
nescire, nescio, nescivi nicht wissen 54
neuter, neutra, neutrum keiner von beiden 28
nex, necis *f* (gewaltsamer) Tod, Mord 9
nihil *Nom. und Akk.* nichts 16
nihil amplius nichts weiter 86
nihil nisi nichts außer 57
nihil privati nichts Privates, kein Privatbesitz 94
nihilo minus nichtsdestoweniger, trotzdem 44
nimis *Adv.* allzu sehr 35
nimium *Adv.* außerordentlich 59
nimius, a, um zu groß, zu viel, übermäßig 59
nisi *Subj. m. Ind.* wenn nicht 51
nobilis, e berühmt, vornehm, edel; *Subst.* Adliger 19
nobilitas, nobilitatis *f* Adel, Berühmtheit 94
nocēre schaden 77
nolle, nolo, nolui nicht wollen 53
nomen, nominis *n* Name 21
nomen trahere a *m. Abl.* den Namen bekommen von 84
nominare nennen, benennen 37
non nicht 2
non iam nicht mehr 4
non ignorare genau wissen, genau kennen 15
non modo ... sed etiam nicht nur ... sondern auch 8
non multum afuit, quin *m.Konj.* es hätte nicht viel gefehlt, dass 76
non solum ... sed etiam nicht nur ... sondern auch 27
nondum noch nicht 19
nonne? etwa nicht? denn nicht? 9
nonnulli, ae, a *Pl.* einige, manche 12
nonnumquam manchmal, bisweilen 73
noster, nostra, nostrum unser 15
nota *Subst.* Zeichen, Merkmal 86
notus, a, um bekannt 54
novus, a, um neu(artig), ungewöhnlich 18
nox, noctis *f* Nacht 18
nubere, nubo, nupsi, nuptum *m. Dat.* heiraten 35
nubes, nubis *f* Wolke 18
nudus, a, um nackt, entblößt 57
nullus, a, um (*Gen.* nullíus *Dat.* nulli) kein 16
num? etwa? etwa gar? 39
numerus Zahl, Anzahl 14
numquam niemals 53
nunc *Adv.* nun, jetzt 2
nuntiare melden, verkünden 24
nuntius Bote; Nachricht 18
nuper *Adv.* neulich, kürzlich 21

ob *m. Akk.* wegen 79
ob eam causam aus diesem Grund, deswegen 79
obesse, obsum, offuī schaden 62
obicere, obicio, obieci, obiectum entgegenwerfen, vorwerfen 91
oblivisci, obliviscor, oblitus sum *(m.Gen.)* vergessen 88
oboedire gehorchen 89
obscurus, a, um dunkel, unbekannt 56
obsequi, obsequor, obsecutus sum nachgeben, gehorchen 85
observare beobachten, einhalten, Acht geben auf 14
obses, obsidis *m/f* Geisel, Bürge 55
obsidēre, obsideo, obsedi, obsessum belagern 69
obsidio, obsidionis *f* Belagerung, Blockade 72
obstare, obsto, obstiti entgegenstehen, hindern 67
obstringere, obstringo, obstrinxi, obstrictum verstricken, verpflichten 68
obtinēre, obtineo, obtinui, obtentum festhalten 69
occasio, occasionis *f (m. Gen.)* Gelegenheit (zu) 74
occidere, occido, occidi, occisum töten, niederschlagen 21, 50
occultare verbergen 68
occupare besetzen; beschäftigen; erfassen 34
oculus Auge 35
odisse hassen 86
odium Hass 63
odor, odoris *m* Geruch 9
offendere, offendo, offendi, offensum angreifen; beleidigen 63
offerre, offero, obtuli, oblatum entgegenbringen, anbieten 81
officium Dienst(leistung); Pflicht(gefühl) 39
officia praestare Pflichten erfüllen 39
olim *Adv.* einst 16
oliva Ölbaum 46
omen, ominis n Vorzeichen 29
omittere, omitto, omisi, omissum unterlassen, verstreichen lassen 74
omnino *Adv.* gänzlich, überhaupt 93
omnis, e ganz, all, jeder 19
onus, oneris *n* Last, Ladung 16
opera Arbeit, Mühe 60
operam dare *m. Dat.* sich Mühe geben um/mit 60
opes, opum *Pl.* Reichtum; Macht; Streitmacht 94
oportet es ist nötig, es gehört sich 10
oportuit es hätte sich gehört 75
oppidum Stadt 18
opportunus, a, um günstig (gelegen), angenehm 37
opprimere, opprimo, oppressi, oppressum unterdrücken 78
oppugnare bestürmen, belagern 47

ops, opis *f* Kraft, Stärke, Hilfe 94
optare bitten, wünschen 60
optimus, a, um der beste 66
optimus quisque *Sg.* gerade die Besten (jeder Beste) 66
opulentus, a, um reich, wohlhabend 43
opus est *m. Abl.* man benötigt 71
opus, operis *n* Werk, Arbeit 38
oraculum Orakel(spruch) 29
orare reden, beten, bitten 9
oratio, orationis *f* Rede 51
orator, oratoris m Redner 58
orbis, orbis *m* Kreis 26
orbis terrarum Erdkreis 26
ordo, ordinis *m* Reihe, Ordnung; (sozialer) Stand 48
origo, originis *f* Ursprung, Abstammung 14
ornamentum Schmuck(stück) 8
ornare ausstatten, schmücken 72
osculum Kuss 29
ostendere, ostendo, ostendi zeigen 8, 29
otiosus, a, um ruhig, geruhsam, unbeschäftigt 48
otium Muße, Freizeit, Ruhe 37
ovum Ei 71

paedagogus Pädagoge 9
paene *Adv.* fast, beinahe 43
palus, paludis *f* Sumpf 48
panis, panis *m* Brot 85
papa *m* Papst 72
parare bereiten, vorbereiten, erwerben; vorhaben 10
parcere, parco, peperci *m. Dat.* (ver)schonen; sparen 57
parentes, parentum *m Pl.* Eltern 41
parēre gehorchen, sich richten nach 7
parere, pario, peperi, partum hervorbringen, gebären; erwerben 68
pars, partis *f* Teil, Seite 33
partim teils 58
parum *Adv.* zu wenig, nicht genug 62
parvus, a, um klein, gering 45
parvo (pretio) vendere billig verkaufen 45
pascere, pasco, pavi, pastum (Vieh) hüten, weiden 85
passim *Adv.* weit und breit, überall 84
passus, passus *m* Schritt; Doppelschritt 47
pastor, pastoris *m* Hirte 27
pater, patris *m* Vater 15
patēre offen stehen 2
pati, patior, passus sum dulden, leiden; zulassen 82
patria Heimat, Vaterland 16
patrius, a, um väterlich 74
patronus Schutzherr, Anwalt 81
pauci, ae, a *Pl.* wenige 56
paulatim *Adv.* allmählich 81
paulo ante kurz zuvor 87
paulo post wenig später, kurz darauf 44
pauper, pauperis arm 80
pax, pacis *f* Friede 26
peccare sündigen, verkehrt machen 85
pecunia Geld, Vermögen 8
pecus, pecoris *n* Vieh 79
pecus, pecudis *f* Stück Vieh; *Pl.* Vieh 14
pedes, peditis *m* Soldat zu Fuß, Infanterist 47
peior, peius schlechter, geringer 79
pellere, pello, pepuli, pulsum (ver)treiben, stoßen 10, 40
pellis, pellis *f* Fell, Pelz 80
penates, penatium *m* Penaten (Hausgötter) 25
pendēre, pendeo, pependi (herab)hängen, schweben 34
péndere, pendo, pependi, pensum abwiegen, bezahlen 68
penna Feder 34
per *m. Akk.* durch, hindurch 9
peragere, perago, peregi, peractum durchführen, vollenden 95
percipere, percipio, percepi, perceptum erfassen, aufnehmen 78
perdere, perdo, perdidi, perditum zu Grunde richten, verderben 71
peregrinus Fremder, Ausländer; *Adj.* fremd 38
perferre, perfero, pertuli, perlatum hinbringen; ertragen, aushalten 64
pergere, pergo, perrexi, perrectum fortsetzen, weitermachen, fortfahren 73
periculosus, a, um gefährlich 74
periculum Gefahr 9
perire, pereo, perii, periturus zugrunde gehen, umkommen 51, 70
peritus, a, um *m. Gen.* erfahren, geschickt (in) 74
permittere, permitto, permisi, permissum erlauben, überlassen 76
permovēre, permoveo, permovi, permotum bewegen, veranlassen, ergreifen 94
permulti, ae, a sehr viele 81
pernicies, perniciei *f* Verderben, Vernichtung 57
perpetuus, a, um ununterbrochen, beständig 69
perspicere, perspicio, perspexi, perspectum durchschauen, erkennen 60
persuadēre, persuadeo, persuasi, persuasum *m. Dat.* überreden, überzeugen 88
perterrēre, perterreo, perterrui, perterritum (sehr) erschrecken, einschüchtern (trans.) 59
pertinēre ad *m. Akk.* gehören zu, sich beziehen auf 13
perturbare verwirren, beunruhigen 87
pervenire, pervenio, perveni (ad/in *m. Akk.*) gelangen (zu/nach) 21
pes, pedis *m* Fuß 10
pessimus, a, um der schlechteste, schlimmste 79
pestis, pestis *f* Seuche, Unheil 88
petere, peto, petivi, petitum erstreben, aufsuchen; verlangen 4, 19, 39

philosophia Philosophie 43
philosophus Philosoph 43
pietas, pietatis *f* Frömmigkeit; Ehrfurcht, Pflichtgefühl 41
pila Ball 40
pius, pia, pium fromm, pflichtgetreu 25
placare beschwichtigen, besänftigen, versöhnen 7
placēre gefallen 24
placidus, a, um sanft, still, friedlich 95
planus, a, um flach, eben; deutlich 82
plaudere, plaudo, plausi, plausum (Beifall) klatschen 92
plebs, plebis *f* (nichtadeliges) Volk, Volksmenge; die Armen 9
plenus, a, um (m. Gen.) voll (von/mit) 88
plerique, pleraeque, pleraque *Pl.* die meisten 51
plerumque *Adv.* meist, meistens 62
plures, plura *Pl.* mehr 71
  plures … quam mehr ... als 49
plurimi, plurimae, plurima die meisten, sehr viele 79
plurimum *Adv.* sehr viel, am meisten 77
plus, pluris *n* mehr 70
  plus valēre quam mehr gelten als, stärker sein als 31
poena Strafe 95
poeta *m* Dichter 92
ponere, pono, posui, positum stellen, setzen, legen 40
pons, pontis *m* Brücke 38
populus Volk, Volksmenge 2
porrigere, porrigo, porrexi, porrectum darreichen, ausstrecken 10, 65
porta Tor, Tür, Pforte 2
portare tragen, bringen 6
portus, portus Hafen 82
poscere, posco, poposci fordern, verlangen 55
posse, possum, potui können, vermögen 57
possidēre besitzen 12
post *m. Akk.* nach; hinter 20
  post Christum natum ~ p. Chr. n. nach Christi Geburt, nach Christus 81
postea *Adv.* später 12
posteri, posterorum *Pl.* Nachkommen 26
postquam *Subj. m. Ind.* nachdem 25
postremo *Adv.* zuletzt, schließlich 47
postridie *Adv.* am folgenden Tag 46
postulare fordern, verlangen 87
potens, potentis mächtig, stark 28
potestas, potestatis *f* Macht; Amtsgewalt; Möglichkeit 66
potiri, potior, potitus sum *m. Abl.* in seine Gewalt bringen 83
potius quam eher als, lieber als 57
prae *m. Abl.* vor 75
  prae se ferre (deutlich) zeigen 75
praebēre darreichen, gewähren 60
  se praebēre *m. Akk.* sich zeigen (als) 60
  se crudelem praebēre sich grausam zeigen 66
praeceps, praecipitis abschüssig; kopfüber, überstürzt 95
praeceptor, praeceptoris *m* Lehrer 77
praecipere, praecipio, praecepi, praeceptum vorschreiben, befehlen 86
praecipitare herabstürzen (intrans.) 52
praecipue *Adv.* vornehmlich, besonders 81
praeclarus, a, um ausgezeichnet, berühmt, vortrefflich 12
praeda Beute 27
praedicare rühmen, preisen 76
praeesse, praesum, praefui *m. Dat.* an der Spitze stehen, leiten 38
praeferre, praefero, praetuli, praelatum vorziehen; an den Tag legen 64
praemium Lohn, Belohnung, Auszeichnung 81
praesens, praesentis anwesend, gegenwärtig 58
praesertim cum *Subj. m. Konj.* zumal da 70
praesidium Schutz; Besatzung; Posten 84
praestare, praesto, praestiti *m. Akk.* leisten, erweisen; *m. Dat.* übertreffen 39
praeter *m. Akk.* außer 57
praeterea *Adv.* außerdem 38
praeterire, praetereo, praeterii, praeteritum vorübergehen, übergehen 61
  praeterit me es entgeht mir 61
praetor, praetoris *m* Prätor (Beamter) 1
pravus, a, um verkehrt, schlecht 48
premere, premo, pressi, pressum drücken, bedrängen 49
pretiosus, a, um wertvoll 43
pretium Preis, Wert, Lohn 8
  pretium quaerere (a *m. Abl.*) (jem.) nach dem Preis fragen 8
pridem *Adv.* längst 71
primus, a, um der erste 29
  primo *Adv.* zuerst, anfangs 20
  primum *Adv.* zuerst 34
princeps, principis *m* der führende Mann, Fürst; *Adj.* führend, erster 55
priscus, a, um alt, altehrwürdig 55
priusquam *Subj.* bevor, ehe 65
privare *(m. Abl.)* (einer Sache) berauben; befreien (von) 66
privatus, a, um privat, persönlich 94
pro *m. Abl.* vor, für, anstelle, im Verhältnis (zu) 50
probare prüfen, billigen 6
probrum Vorwurf, Schande, Beschimpfung 22
probus, a, um tüchtig, gut 13
procedere, procedo, processi vorwärtsgehen, vorrücken 24
prodere, prodo, prodidi, proditum überliefern, verraten 77
prodesse, prosum, profui nützen 57
prodigium Vorzeichen, Wunderzeichen 65
prodire, prodeo, prodii hervorkommen, auftreten 93

proelium Schlacht, Gefecht 51
profanus, a, um ungeweiht, gottlos 86
profecto *Adv.* in der Tat, tatsächlich, wahrhaftig 6
proficere, proficio, profeci, profectum Fortschritte machen, nützen 61
proficisci, proficiscor, profectus sum aufbrechen, (ab)reisen 82
progredi, progredior, progressus sum weitergehen; vorrücken, Fortschritte machen 83
prohibēre, prohibeo, prohibui, prohibitum (a *m. Abl.*) abhalten (von), (ver)hindern, schützen (vor) 64
proicere, proicio, proieci, proiectum hinwerfen 47
  se proicere sich zu Boden werfen 47
proinde *Adv.* also, daher 56
promittere, promitto, promisi, promissum versprechen 76
prope *Adv.* in der Nähe 2
properare eilen, sich beeilen 2
propinquus, a, um nahe, benachbart; verwandt 54
propius *Adv.* näher 70
proponere, propono, proposui, propositum vorlegen, (sich) vornehmen 81
proprius, a, um eigen, eigentümlich 94
propter *m. Akk.* wegen 69
propterea quod deswegen weil 70
protegere, protego, protexi, protectum (be-)schützen; bedecken 45
providēre, provideo, providi, provisum *m. Dat.* sorgen für, *m. Akk.* vorhersehen 77
provincia Provinz 68
proximus, a, um der nächste; der letzte 52
  proximus a *m. Abl.* ganz nahe bei 92
prudens, prudentis klug 88
prudentia Klugheit, Kenntnis 41
publicus, a, um öffentlich, staatlich 39
pudor, pudoris *m* Scham, Ehrgefühl 49
puella Mädchen 12
puer, pueri Junge, Kind 12
  puer novem annorum ein Junge von neun Jahren 53
pugna Kampf 91
pugnare kämpfen 16
pulcher, pulchra, pulchrum schön 12
pulsare klopfen, schlagen 40
pulvis, pulveris *m* Staub 53
punire bestrafen 10
putare glauben, meinen, halten (für) 20

qua de causa aus diesem Grund, deswegen 81
quae cum ita sint da dies so ist; unter diesen Umständen 73
quaerere, quaero, quaesivi, quaesitum suchen, fragen; erwerben (wollen) 4, 20, 61
  quaerere ex *(m. Abl.)* (jem.) fragen 43
quaestor, quaestoris *m* Quästor (Finanzbeamter) 39
qualis, e wie beschaffen, von welcher Art 56
quam wie (im Ausruf) 3; wie, als (in Vergleichen) 14
quam optime *Adv.* möglichst gut 80
quamquam *Subj. m. Ind.* obwohl 25
quamvis *m. Adj./Adv.* wenn auch (noch so) 76
quamvis *Subj. m. Konj.* obwohl, wenn auch noch so sehr 70
quando? wann? 71
quanto … tanto um wie viel ... um so viel; je ... desto 80
quantum wie viel, wie sehr 56
quantus, a, um wie groß 56
quare weshalb; deshalb (rel. Satzanschluss) 84
quartus, a, um der vierte 66
quasi *Adv.* wie, gleichsam 55
-que und 13
quemadmodum *Adv.* wie, auf welche Weise 71
queri, queror, questus sum *m. Akk.* klagen, sich beklagen (über) 83
qui, quae, quod der, die, das 15
quia *Subj. m. Ind.* weil 13
quicumque wer auch immer; jeder, der 75
quid est, quod …? *m. Konj.* was für einen Grund gibt es, dass ...? 91
quid? was? 4
quid novi? welche Neuigkeit? 39
quidam, quaedam, quoddam ein gewisser; geradezu 80
quidem zwar, wenigstens; gewiss, freilich 51
quies, quietis *f* Ruhe, Erholung 37
quietus, a, um ruhig, gelassen 94
quin etiam ja sogar 79
quis? wer? 39
quisque, quaeque, quodque *adj.* jeder 66
quisque, quidque *subst.* jeder 66
quisquis jeder, der 75
quo … eo je ... desto 37
quo? wohin? 33
quod sciam soweit ich weiß 91
quod *Subj. m. Ind.* weil 51
quod *Subj. m. Ind.* dass 77
quodsi *Subj. m.Ind.* wenn nun, wenn aber 85
quomodo wie, auf welche Weise 18
quondam einst, einmal 62
quoniam *Subj. m. Ind.* weil nun; da ja 70
quoque auch 21
quoquo modo poterat auf jede erdenkliche Weise 88
quot? wie viele? 34
quotiens *Subj. m. Ind.* sooft 65
quotienscumque wie oft auch immer 75

ramus Zweig 46
rana Frosch, Kröte 48
rapere, rapio, rapui, raptum rauben, fortreißen 27, 34
raro *Adv.* selten 15
ratio, rationis *f* Vernunft, Überlegung; Art und Weise; Lehre 34

recedere, recedo, recessi, recessum zurückweichen, sich zurückziehen 51
recipere, recipio, recepi, receptum zurücknehmen; aufnehmen, wieder bekommen 90
se recipere sich zurückziehen 90
rectus, a, um recht, richtig; gerade 41
recusare zurückweisen, ablehnen 72
reddere, reddo, reddidi, redditum zurückgeben 35
redire zurückgehen, zurückkehren 51
reditus, reditus Rückkehr, Heimkehr 33
reducere, reduco, reduxi, reductum zurückführen, zurückziehen 67
referre, refero, rettuli, relatum zurückbringen, berichten, melden 64
reficere, reficio, refeci, refectum wiederherstellen, neu beleben 78
regere, rego, rexi lenken, leiten, beherrschen 20
regina Königin 35
regio, regionis *f* Gebiet, Gegend 14
regius, a, um königlich 71
regnare herrschen, König sein 26
regnum Reich, (Königs)herrschaft 68
reicere, reicio, reieci, reiectum zurückweisen 78
religio, religionis *f* Frömmigkeit, Gewissenhaftigkeit; Religion 81
relinquere, relinquo, reliqui, relictum verlassen, zurücklassen 9, 25, 49
reliquus, a, um übrig; künftig 60
remittere, remitto, remisi, remissum zurückschicken; nachlassen 45
removēre, removeo, removi, remotum entfernen, wegschaffen 53
reperire, reperio, repperi, repertum (wieder)finden 21, 70
repetere, repeto, repetivi, repetitum zurückverlangen; wiederholen 35
reprehendere tadeln, kritisieren 6
repugnare widerstehen, widersprechen 62
requirere, requiro, requisivi, requisitum sich erkundigen, verlangen 92
reri, reor, ratus sum (be)rechnen, meinen 85
res, rei *f* Sache; Angelegenheit 38
res divinae *Pl.* Gottesdienst 81
res familiaris Vermögen 41
res gestae *Pl.* Taten, Leistungen 45
res publica Gemeinwesen, Staat 39
rem publicam capessere die politische Laufbahn einschlagen 93
rerum scriptor Geschichtsschreiber 79
rescindere, rescindo, rescidi, rescissum einreißen, abbrechen 70
resistere, resisto, restiti Widerstand leisten, sich widersetzen 35
respondēre, respondeo, respondi antworten 28
responsum *Subst.* Antwort 41
restituere, restituo, restitui, restitutum wiederherstellen 48
retinēre zurückhalten, festhalten, behalten 6
reverti, revertor, reverti zurückkehren 89
revocare zurückrufen 54
rex, regis *m* König 26
ridēre, rideo, risi *m. Akk.* (aus)lachen, sich lustig machen über 10, 29
robur, roboris *n* Kraft, Stärke 60
rogare fragen, bitten 71
Roma Rom 1
Romae in Rom 40
Romam nach Rom 22
Romanus, a, um römisch; Römer 3
rudis, e roh, unbearbeitet, kunstlos 43
rumor, rumoris *m* Gerücht, Gerede 81

sacer, sacra, sacrum *m. Gen.* heilig, geweiht 52
sacerdos, sacerdotis *m/f* Priester(in) 24
sacramentum Eid 64
sacramentum dicere *(m. Dat.)* den Treueid leisten (auf) 64
sacrificium Opfer 86
sacrum Heiligtum; Opfer 24
sacra facere Opfer darbringen, opfern 24
saepe *Adv.* oft 14
saevus, a, um wild, wütend, schrecklich 14
saltare tanzen 43
saluber, salubris, salubre heilsam, gesund 81
salus, salutis *f* Wohl(ergehen), Rettung; Gruß 18
salutare (be)grüßen 2
salutare *m. dopp. Akk.* jem. begrüßen als 51
salve! sei gegrüßt! guten Tag! 2
salvus, a, um wohlbehalten, gesund 69
sanctus, a, um heilig; *Subst.* Heiliger 72
sanguis, sanguinis *m* Blut; Blutvergießen 57
sanus, a, um gesund 78
sapiens, sapientis weise, vernünftig 28
sapientia Weiheit, Einsicht 60
satis genug 45
satisfacere, satisfacio, satisfeci, satisfactum zufrieden stellen, entschädigen 90
saxum Stein, Fels 22
scelus, sceleris *n* Verbrechen 40
schola Schule 73
scientia Kenntnis, Wissen 77
scire wissen, kennen, verstehen 9
scribere, scribo, scripsi, scriptum schreiben 59
scriptor, scriptoris *m* Schriftsteller 61
scutum (der) Schild 70
secare, seco, secui, sectum (ab)schneiden, durchschneiden 40
secundum *m. Akk.* entlang; unmittelbar nach; entsprechend 81
secundus, a, um der zweite; günstig 26
securus, a, um sorglos, sicher 95
sed aber, sondern 2
sedare beruhigen 88
sedēre (da)sitzen 2
sedes, sedis *f* Sitz, Wohnsitz 89
seditio, seditionis *f* Aufstand, Aufruhr; Zwist 67
semel *Adv.* einmal 90

semen, seminis *n* Samen 95
semper *Adv.* immer 10
sempiternus, a, um immerwährend, ewig 67
senator, senatoris *m* Senator 1
senatus, senatus Senat, Senatsversammlung 51
senectus, senectutis *f* Greisenalter, Alter 80
senex, senis *m* alter Mann 9
senior älter 85
sensus, sensus Sinn, Empfindung, Gedanke 31
sententia Meinung, Satz, Sinn, Sinnspruch 16
sentire, sentio, sensi fühlen, spüren, wahrnehmen, meinen 9, 18
septem sieben 26, 38
septimus, a, um der siebte 29
sepulcrum Grab, Grabmal 47
sequi, sequor, secutus sum *m. Akk.* folgen 82
serere, sero, sevi, satum säen, pflanzen 95
sermo, sermonis *m* Sprache, Gespräch 74
sermonem habere ein Gespräch führen 74
sero *Adv.* spät, zu spät 62
serpens, serpentis *m* Schlange 29
serva Sklavin, Dienerin 1
servare (a *m. Abl.*) bewahren, schützen, retten (vor);beachten 7
servire Sklave sein, dienen 60
servitus, servitutis *f* Knechtschaft, Sklaverei 47
servus Sklave, Diener 1
severitas, severitatis *f* Ernst, Strenge 48
severus, a, um streng, ernst 13
sex sechs 28, 38
si *Subj. m. Ind.* wenn, falls 8
sic *Adv.* so, auf diese Weise 26
sicut (so) wie, wie zum Beispiel 81
signum Zeichen, Merkmal 70
silentium Schweigen, Stille 52
silva Wald 87
similis, e *m. Gen. oder Dat.* ähnlich, gleichartig 37
simplex, simplicis einfach, natürlich; schlicht 41
sin (autem) Subj. wenn aber 65
sine *m. Abl.* ohne 16
sinere, sino, sivi, situm lassen, zulassen 53
sínguli, síngulae, síngula *Pl.* einzelne; je ein 48
situs, a, um gelegen, befindlich 15
societas, societatis *f* Gemeinschaft, Bündnis 48
socius Gefährte, Kamerad 25
sol, solis *m* Sonne 32
solēre, soleo, solitus sum pflegen, gewohnt sein (etw. zu tun) 29, 89
solitus, a, um gewohnt, üblich 86
sollicitare beunruhigen, heftig erregen 33
sollicitus, a, um heftig erregt, besorgt, beunruhigt 71
solum nur 27
solum *Subst.* Boden, Grundfläche; Erdboden, Fußboden 37
solus, a, um allein 60
solvere, solvo, solvi, solutum (auf)lösen 34
somnium Traum 65
somnus Schlaf 52
sonus Ton, Laut 48
soror, sororis *f* Schwester 29
sors, sortis *f* Los, Schicksal 27
spatium Raum, Strecke, Zeitraum 90
species, speciei *f* Aussehen, Gestalt; Anschein 63
spectaculum Schauspiel 22
spectare schauen, betrachten 4
spectator, spectatoris *m* Zuschauer 22
sperare hoffen, erwarten 39
spernere, sperno, sprevi, spretum verschmähen, verachten 43
spes, spei *f* Hoffnung, Erwartung 51
spem ponere in *m. Abl.* seine Hoffnung setzen auf 57
mea (tua/sua) sponte von selbst, absichtlich 50
stadium Stadion, Rennbahn 46
stare, sto, steti stehen 2, 90
statim *Adv.* sofort, auf der Stelle 3
statua Standbild, Statue 1
statuere, statuo, statui, statutum aufstellen; festsetzen, beschließen 87
status, status Zustand, Verfassung 67
strepitus, strepitus Getöse, Lärm 81
studēre, studeo, studui sich bemühen, danach streben 7, 18
studēre *m. Dat.* sich bemühen um, streben nach 75
studiosus, a, um *(m. Gen.)* eifrig bemüht (um); wissbegierig 60
studium Bemühung, Studium 71
stultus, a, um dumm, töricht 48
stupere stutzen, staunen 4
suadēre, suadeo, suasi, suasum raten, empfehlen 59
suavis, e süß, angenehm 87
sub *m. Abl.* unter 18
sub monte am Fuße des Berges 18
subigere, subigo, subegi, subactum unterwerfen 54
subire herangehen; auf sich nehmen, erdulden 51
subito *Adv.* plötzlich 4
succedere, succedo, successi, successum nachfolgen, nachrücken 47
succumbere, succumbo, succubui unterliegen 90
succurrere, succurro, succurri zu Hilfe eilen 73
sumere, sumo, sumpsi nehmen 32
summus, a, um der höchste 52
sumptus, sumptus Aufwand, Kosten 81
super *m. Akk.* über 19
superare überragen, überwinden 26
superare *m. Abl.* übertreffen an/durch 26
superbia Hochmut, Stolz 64
superbus, a, um hochmütig, stolz 26

ulcisci, ulciscor, ultus sum sich rächen (an/für), strafen 83
ullus, a, um (*Gen.* ullíus *Dat.* ulli) irgendein 57
ulterior, ulterius der jenseitige, weiter entfernt 80
ultimus, a, um letzter, äußerster 58
ultra *m. Akk.* jenseits; über ... hinaus 80
ultro *Adv.* von selbst 78
umbra Schatten 26
umquam *Adv.* jemals 54
unda Welle, Gewässer 33
unde? woher? 39
undique *Adv.* von allen Seiten 33
unicus, a, um einzig 88
universus, a, um sämtlich, gesamt, ganz 72
unus, a, um (*Gen.* uníus *Dat.* uni) ein, einzig 15
unus de/ex *m. Abl.* einer von 40
unusquisque, uniuscuiusque jeder einzelne 77
urbanus, a, um städtisch, Stadt-; gebildet 40
urbs, urbis *f* Stadt 24
urgēre, urgeo, ursi, ursurus (be-)drängen 71
usque ad bis zu 62
usus, usus Gebrauch, Umgang, Nutzen 31
ut eo *m. Komparativ* damit desto, damit umso 90
ut *Subj. m. Ind.* wie 14
ut *Subj. m. Konj.* dass; damit; so dass 60, 63
uter, utra, utrum? (*Gen.* utríus *Dat.* utri) welcher von beiden? 28
uterque, utraque, utrumque jeder von beiden; beide 28
uti, utor, usus sum *m. Abl.* gebrauchen, benutzen 83
utilis, e nützlich, brauchbar 62
utilitas, utilitatis *f* Nutzen, Vorteil 62
utinam *m. Konj.* wenn doch! hoffentlich! 69
utrimque auf beiden Seiten 70
utrum ... an? (ob) ... oder? 39
uxor, uxoris *f* Ehefrau, Gattin 25

vadere *(ohne Perf.)* schreiten, gehen 73
vagari umherziehen; sich ausbreiten 84
valde *Adv.* sehr 8
valēre gesund/stark sein, Einfluss haben 31
vale! leb wohl! 8
valete! lebt wohl! 8
validus, a, um stark, kräftig 33
vallum Wall 84
varietas, varietatis *f* Abwechslung, Verschiedenheit 78
varius, a, um verschieden, bunt, vielfältig 13
vastare verwüsten 79
vates, vatis *m* Seher; Dichter 29
vectigal, vectigalis *n* Abgabe, Steuer 68
vehemens, vehementis heftig, energisch 28
vehere, veho, vexi, vectum fahren *(trans.)*, ziehen 82
vehi, vehor, vectus sum fahren *(intrans.)*, befördert werden 82
vehiculum Wagen, Fahrzeug 12
vel oder; sogar 26
vel maximus sogar der größte 80
velare verhüllen, verschleiern 18
velle, volo, volui wollen 53
velox, velocis schnell 88
velut (gleich) wie, wie zum Beispiel 39
vendere, vendo, vendidi, venditum verkaufen 16, 45
venenum Gift 44
venia Verzeihung, Nachsicht 7
venire (ven-ire), veneo, venii verkauft werden 81
venire, venio, veni, ventum kommen 9, 21, 40
venter, ventris *m* Magen 85
ventus Wind 33
ver, veris *n* Frühling 95
verbera, verberum *n Pl.* Schläge 14
verbum Wort; Aussage 4
vereri, vereor, veritus sum sich scheuen, fürchten; verehren 83
verisimilis, e wahrscheinlich 20
vero *Adv.* aber, allerdings, in der Tat 32
versari sich aufhalten, verweilen 87
vertere, verto, verti wenden, drehen 33
verus, a, um wahr, echt 56
vespere *Adv.* abends, am Abend 10
vester, vestra, vestrum euer 15
vestimentum Kleidungsstück, Kleidung 33
vestire bekleiden 39
vestis, vestis *f* Kleid, Gewand 50
vetare, veto, vetui verbieten 32
veteranus altgedienter Soldat, Veteran 81
vetus, veteris alt 84
vexare quälen, verheeren, heimsuchen 32
via Weg, Straße, Strecke 6
vicinus Nachbar 15
victor, victoris *m* Sieger 46
victoria Sieg 28
vidēre, video, vidi sehen 3, 21
vidēre, ut *m. Konj.* zusehen, dass; beachten, dass 78
vidēri, videor, visus sum *m. Nom.* scheinen; gelten als 44
viginti annos zwanzig Jahre lang 81
vilicus Verwalter 13
vilis, vile billig, wertlos 90
villa Haus, Landhaus 10
vincere, vinco, vici, victum (be)siegen, übertreffen 21, 34
villa rustica Landgut 10
vincere *m. Abl.* übertreffen an/durch 27
vincire, vincio, vinxi fesseln, binden 32
vinculum Band, Fessel; *Pl.* Gefängnis 27
vindicare beanspruchen; befreien; bestrafen 66
vinum Wein 6
violare kränken, verletzen, misshandeln 7
vir, viri Mann 13
vir vere Romanus ein echter Römer 56
vires, virium *f Pl.* Kräfte, Streitkräfte 29

virgo, virginis *f* Mädchen 27
virtus, virtutis *f* Tüchtigkeit, Tapferkeit, Vortrefflichkeit, Tugend 27
vis, vim, vi *f* Gewalt, Kraft; Menge 29
  vim afferre Gewalt antun 64
visēre, viso, visi besichtigen, besuchen 75
vita Leben 14
  vitam agere sein Leben verbringen, führen 15
vitare (ver)meiden, 18
vitium Fehler; Mangel 10
vivere, vivo, vixi, victurus leben 16, 32, 43
vivus, a, um lebend, zu Lebzeiten 58
vix *Adv.* kaum, mit Mühe 21
vix quisquam kaum jemand 76
vocare rufen, nennen 3
  vocare *m. dopp. Akk.* jem. bezeichnen als 16
volare fliegen, eilen 22
voluntas, voluntatis *f (m. Gen.)* Wille, Absicht (zu) 74
voluptas, voluptatis *f* Vergnügen, Lust 91
vox, vocis *f* Stimme; Äußerung 9
vulnerare verwunden 65
vulnus, vulneris *n* Wunde 61
vultus, vultus Gesicht, Miene 31

Abbildungen: Cinema International, Frankfurt; Karl Filser, Augsburg; Graphische Sammlung Albertina, Wien; Ute Herwig, Gönnebek (13); Rolf Hirsch, Bamberg (2); Nationalmuseum, Neapel; Scala, Antella; Verlagsarchiv (18).

Zeittafel zur römischen Geschichte

v. Chr.

753	sagenhaftes Gründungsjahr Roms
seit 750	Einwanderung der Griechen nach Unteritalien und Sizilien
510	Ende der Herrschaft der Könige
um 500	**Beginn der Republik**
um 450	Zwölftafelgesetz
um 400	Einfall der Kelten in Italien
396	Unterwerfung von Veji
387	Belagerung des Kapitols durch die Kelten
367	Zulassung der Plebejer zum Konsulat
312	Bau der Via Appia
264-241	1. Punischer Krieg
218-201	**2. Punischer Krieg**
217	Niederlage am Trasimenischen See
216	Niederlage bei Cannä
202	Sieg über Hannibal bei Zama
168	Sieg bei Pydna über Makedonien
149-146	3. Punischer Krieg
146	Zerstörung Karthagos
133-121	**Reformbewegung der Gracchen**
88	Bürgerrecht für die Italiker
82-79	Sullas Diktatur
73-71	Sklavenaufstand unter Spartacus
67	Pompejus beendet den Seeräuberkrieg
63-62	Catilinarische Verschwörung
63	**Cicero Konsul**
60	1. Triumvirat: Pompejus, Crassus, Cäsar
59	Cäsar Konsul
58-51	**Eroberung Galliens durch Cäsar**
49-46	Bürgerkrieg (Cäsar setzt sich durch)
48	Cäsars Sieg über Pompejus
15.3.44	**Ermordung Cäsars**
43	2. Triumvirat: Antonius, Lepidus, Oktavian; Ermordung Ciceros
42	Schlacht bei Philippi: Niederlage der Mörder Cäsars
31	**Sieg Octavians bei Actium**
27	Titel „Augustus" an Oktavian
seit 15	Germanenkriege
9	Einweihung der Ara pacis Augustae

n. Chr.

9	Niederlage im Teutoburger Wald
14	Tod des Augustus
14-68	**Julisch-claudisches Herrscherhaus**
14-37	Tiberius
37-41	Caligula
41-54	Claudius
54-68	Nero
64	Brand von Rom
68-69	Galba, Otho, Vitellius
69-96	**Flavisches Herrscherhaus**
69-79	Vespasian
70	Eroberung Jerusalems
79-81	Titus
80	Bau des Kolosseums beendet
81-96	Domitian
83	Bau des Limes beginnt
96-180	**Adoptivkaiser**
96-98	Nerva
98-117	Trajan
117-138	Hadrian
138-161	Antoninus Pius
161-180	Mark Aurel
193-235	**Severisches Kaiserhaus**
235-305	**Soldatenkaiser**
um 250	Erste allgemeine Christenverfolgung
284-305	Diokletian
312-315	Konstantinsbogen
313	Edikt von Mailand: öffentliche Anerkennung des Christentums
323-337	Konstantin der Große Alleinherrscher
um 375	Beginn der Völkerwanderung
391	Christentum wird Staatsreligion
394-395	Theodosius der Große: letzter Herrscher über das Gesamtreich
395	**Ende der Reichseinheit: Entstehung eines west- und eines oströmischen Reiches**

Tabellarium

SUBSTANTIVE

a-Deklination

	Singular	Plural
Nom.	domin-**a**	domin-**ae**
Gen.	domin-**ae**	domin-**ārum**
Dat.	domin-**ae**	domin-**īs**
Akk.	domin-**am**	domin-**ās**
Abl.	domin-**ā**	domin-**īs**

o-Deklination *m*

	Singular	Plural
Nom.	domin-**us**	domin-**ī**
Gen.	domin-**ī**	domin-**ōrum**
Dat.	domin-**ō**	domin-**īs**
Akk.	domin-**um**	domin-**ōs**
Vok.	domin-**e**	domin-**ī**
Abl.	domin-**ō**	domin-**īs**

o-Deklination *n*

	Singular	Plural
Nom.	templ-**um**	templ-**a**
Gen.	templ-**ī**	templ-**ōrum**
Dat.	templ-**ō**	templ-**īs**
Akk.	templ-**um**	templ-**a**
Abl.	templ-**ō**	templ-**īs**

3. Deklination

	Singular	Plural
Nom.	senator	senatōr-**ēs**
Gen.	senatōr-**is**	senatōr-**um**
Dat.	senatōr-**ī**	senatōr-**ibus**
Akk.	senatōr-**em**	senatōr-**ēs**
Abl.	senatōr-**e**	senatōr-**ibus**

	Singular	Plural
Nom.	host-is	host-ēs
Gen.	host-is	host-**ium**
Dat.	host-ī	host-ibus
Akk.	host-em	host-ēs
Abl.	host-e	host-ibus

	Singular	Plural
Nom.	corpus	corpor-**a**
Gen.	corpor-**is**	corpor-**um**
Dat.	corpor-**ī**	corpor-**ibus**
Akk.	corpus	corpor-**a**
Abl.	corpor-**e**	corpor-**ibus**

u-Deklination

	Singular	Plural
Nom.	cas-**us**	cas-**ūs**
Gen.	cas-**ūs**	cas-**uum**
Dat.	cas-**uī**	cas-**ibus**
Akk.	cas-**um**	cas-**ūs**
Abl.	cas-**ū**	cas-**ibus**

e-Deklination

	Singular	Plural
Nom.	rēs	rēs
Gen.	rĕī	rērum
Dat.	rĕī	rēbus
Akk.	rem	rēs
Abl.	rē	rēbus

ADJEKTIVE

Singular / Plural

m	*f*	*n*	*m*	*f*	*n*
long-**us**	long-**a**	long-**um**	long-**ī**	long-**ae**	long-**a**
long-**ī**	long-**ae**	long-**ī**	long-**ōrum**	long-**ārum**	long-**ōrum**
long-**ō**	long-**ae**	long-**ō**	long-**īs**	long-**īs**	long-**īs**
long-**um**	long-**am**	long-**um**	long-**ōs**	long-**ās**	long-**a**
long-**ō**	long-**ā**	long-**ō**	long-**īs**	long-**īs**	long-**īs**

m	*f*	*n*	*m*	*f*	*n*
ācer	ācr-**is**	ācr-**e**	ācr-**ēs**	ācr-**ēs**	ācr-**ia**
	ācr-**is**			ācr-**ium**	
	ācr-**ī**			ācr-**ibus**	
ācr-**em**	ācr-**em**	ācr-**e**	ācr-**ēs**	ācr-**ēs**	ācr-**ia**
	ācr-**ī**			ācr-**ibus**	

m/f		*n*	*m/f*		*n*
trist-**is**		trist-**e**	trist-**ēs**		trist-**ia**
	trist-**is**			trist-**ium**	
	trist-**ī**			trist-**ibus**	
trist-**em**		trist-**e**	trist-**ēs**		trist-**ia**
	trist-**ī**			trist-**ibus**	

m/f		*n*	*m/f*		*n*
fēlīx		fēlīx	fēlīc-**ēs**		fēlīc-**ia**
	fēlīc-**is**			fēlīc-**ium**	
	fēlīc-**ī**			fēlīc-**ibus**	
fēlīc-**em**		fēlīx	fēlīc-**ēs**		fēlīc-**ia**
	fēlīc-**ī**			fēlīc-**ibus**	

Komparativ

m	*f*	*n*	*m*	*f*	*n*
long-**ior**	long-**ior**	long-**ius**	long-**iōr-ēs**	long-**iōr-ēs**	long-**iōr-a**
	long-**iōr-is**			long-**iōr-um**	
	long-**iōr-ī**			long-**iōr-ibus**	
long-**iōr-em**	long-**iōr-em**	long-**ius**	long-**iōr-ēs**	long-**iōr-ēs**	long-**iōr-a**
	long-**iōr-e**			long-**iōr-ibus**	

PRONOMINA

m	*f*	*n*	*m*	*f*	*n*
quī	quae	quod	quī	quae	quae
	cuius		quōrum	quārum	quōrum
	cui			quibus	
quem	quam	quod	quōs	quās	quae
quō	quā	quō		quibus	

m	*f*	*n*	*m*	*f*	*n*
is	ea	id	eī/iī	eae	ea
	eius		eōrum	eārum	eōrum
	eī			eīs/iīs	
eum	eam	id	eōs	eās	ea
eō	eā	eō		eīs/iīs	

VERBEN: PRÄSENSSTAMM AKTIV

Infinitiv		**vocā-re**	**monē-re**	**audī-re**	**ag-ĕ-re**	**capĕ-re**
Ind. Präs.	Sg. 1. Pers.	voc-**ō**	mone-**ō**	audi-**ō**	ag-**ō**	capi-**ō**
	2. Pers.	vocā-**s**	monē-**s**	audī-**s**	ag-**i-s**	capi-**s**
	3. Pers.	voca-**t**	mone-**t**	audi-**t**	ag-**i-t**	capi-**t**
	Pl. 1. Pers.	vocā-**mus**	monē-**mus**	audī-**mus**	ag-**i-mus**	capi-**mus**
	2. Pers.	vocā-**tis**	monē-**tis**	audī-**tis**	ag-**i-tis**	capi-**tis**
	3. Pers.	voca-**nt**	mone-**nt**	audi-**u-nt**	ag-**u-nt**	capi-**u-nt**
Konj. Präs.	Sg. 1. Pers.	voce-**m**	mone-**a-m**	audi-**a-m**	ag-**a-m**	capi-**a-m**
	2. Pers.	vocē-**s**	mone-**ā-s**	audi-**ā-s**	ag-**ā-s**	capi-**ā-s**
	3. Pers.	voce-**t**	mone-**a-t**	audi-**a-t**	ag-**a-t**	capi-**a-t**
	Pl. 1. Pers.	vocē-**mus**	mone-**ā-mus**	audi-**ā-mus**	ag-**ā-mus**	capi-**ā-mus**
	2. Pers.	vocē-**tis**	mone-**ā-tis**	audi-**ā-tis**	ag-**ā-tis**	capi-**ā-tis**
	3. Pers.	voce-**nt**	mone-**a-nt**	audi-**a-nt**	ag-**a-nt**	capi-**a-nt**
Ind. Impf.	Sg. 1. Pers.	vocā-**ba-m**	monē-**ba-m**	audi-**ēba-m**	ag-**ēba-m**	capi-**ēba-m**
	2. Pers.	vocā-**bā-s**	monē-**bā-s**	audi-**ēbā-s**	ag-**ēbā-s**	capi-**ēbā-s**
	3. Pers.	vocā-**ba-t**	monē-**ba-t**	audi-**ēba-t**	ag-**ēba-t**	capi-**ēba-t**
	Pl. 1. Pers.	vocā-**bā-mus**	monē-**bā-mus**	audi-**ēbā-mus**	ag-**ēbā-mus**	capi-**ēbā-mus**
	2. Pers.	vocā-**bā-tis**	monē-**bā-tis**	audi-**ēbā-tis**	ag-**ēbā-tis**	capi-**ēbā-tis**
	3. Pers.	vocā-**ba-nt**	monē-**ba-nt**	audi-**ēba-nt**	ag-**ēba-nt**	capi-**ēba-nt**
Konj. Impf.	Sg. 1. Pers.	vocā-**re-m**	monē-**re-m**	audī-**re-m**	ag-**e-re-m**	cape-**re-m**
	2. Pers.	vocā-**rē-s**	monē-**rē-s**	audī-**rē-s**	ag-**e-rē-s**	cape-**rē-s**
	3. Pers.	vocā-**re-t**	monē-**re-t**	audī-**re-t**	ag-**e-re-t**	cape-**re-t**
	Pl. 1. Pers.	vocā-**rē-mus**	monē-**rē-mus**	audī-**rē-mus**	ag-**e-rē-mus**	cape-**rē-mus**
	2. Pers.	vocā-**rē-tis**	monē-**rē-tis**	audī-**rē-tis**	ag-**e-rē-tis**	cape-**rē-tis**
	3. Pers.	vocā-**re-nt**	monē-**re-nt**	audī-**re-nt**	ag-**e-re-nt**	cape-**re-nt**
Futur I	Sg. 1. Pers.	vocā-**b-ō**	monē-**b-ō**	audi-**a-m**	ag-**a-m**	capi-**a-m**
	2. Pers.	vocā-**bi-s**	monē-**bi-s**	audi-**ē-s**	ag-**ē-s**	capi-**ē-s**
	3. Pers.	vocā-**bi-t**	monē-**bi-t**	audi-**e-t**	ag-**e-t**	capi-**e-t**
	Pl. 1. Pers.	vocā-**bi-mus**	monē-**bi-mus**	audi-**ē-mus**	ag-**ē-mus**	capi-**ē-mus**
	2. Pers.	vocā-**bi-tis**	monē-**bi-tis**	audi-**ē-tis**	ag-**ē-tis**	capi-**ē-tis**
	3. Pers.	vocā-**bu-nt**	monē-**bu-nt**	audi-**e-nt**	ag-**e-nt**	capi-**e-nt**
Imperativ I	Sg.	vocā	monē	audī	ag-**e**	cape
	Pl.	vocā-**te**	monē-**te**	audī-**te**	ag-**i-te**	capi-**te**
Imperativ II	Sg.	vocā-**tō**	monē-**tō**	audī-**tō**	ag-**i-tō**	cápi-**tō**
		vocā-**tō**	monē-**tō**	audī-**tō**	ag-**i-tō**	cápi-**tō**
	Pl.	vocā-**tōte**	monē-**tōte**	audī-**tōte**	ag-**i-tōte**	capi-**tōte**
		vocā-**ntō**	monē-**nto**	audi-**u-nto**	ag-**u-nto**	capi-**u-nto**
Partizip Präsens		vocā-**ns**, **-ntis**	monē-**ns**, **-ntis**	audi-**ē-ns**, **-ntis**	ag-**ē-ns**, **-ntis**	capi-**ē-ns**, **-ntis**

VERBEN: PRÄSENSSTAMM PASSIV

Infinitiv		**vocā-rī**	**monē-rī**	**audī-rī**	**ag-ī**	**cap-ī**
Ind. Präs.	Sg. 1. Pers.	voc-**or**	mone-**or**	audi-**or**	ag-**or**	capi-**or**
	2. Pers.	vocā-**ris**	monē-**ris**	audī-**ris**	ág-**e-ris**	cápe-**ris**
	3. Pers.	vocā-**tur**	monē-**tur**	audī-**tur**	ág-**i-tur**	cápi-**tur**
	Pl. 1. Pers.	vocā-**mur**	monē-**mur**	audī-**mur**	ág-**i-mur**	cápi-**mur**
	2. Pers.	vocā-**minī**	monē-**minī**	audī-**minī**	ag-**i-minī**	capi-**minī**
	3. Pers.	vocā-**ntur**	mone-**ntur**	audi-**u-ntur**	ag-**u-ntur**	capi-**u-ntur**
Konj. Präs.	Sg. 1. Pers.	voce-**r**	mone-**a-r**	audi-**a-r**	ag-**a-r**	capi-**a-r**
	2. Pers.	vocē-**ris**	mone-**ā-ris**	audi-**ā-ris**	ag-**ā-ris**	capi-**ā-ris**
	3. Pers.	vocē-**tur**	mone-**ā-tur**	audi-**ā-tur**	ag-**ā-tur**	capi-**ā-tur**
	Pl. 1. Pers.	vocē-**mur**	mone-**ā-mur**	audi-**ā-mur**	ag-**ā-mur**	capi-**ā-mur**
	2. Pers.	vocē-**minī**	mone-**ā-minī**	audi-**ā-minī**	ag-**ā-minī**	capi-**ā-minī**
	3. Pers.	voce-**ntur**	mone-**a-ntur**	audi-**a-ntur**	ag-**a-ntur**	capi-**a-ntur**
Ind. Impf.	Sg. 1. Pers.	vocā-**ba-r**	monē-**ba-r**	audi-**ēba-r**	ag-**ēba-r**	capi-**ēba-r**
	2. Pers.	vocā-**bā-ris**	monē-**bā-ris**	audi-**ēbā-ris**	ag-**ēbā-ris**	capi-**ēbā-ris**
	3. Pers.	vocā-**bā-tur**	monē-**bā-tur**	audi-**ēbā-tur**	ag-**ēbā-tur**	capi-**ēbā-tur**
	Pl. 1. Pers.	vocā-**bā-mur**	monē-**bā-mur**	audi-**ēbā-mur**	ag-**ēbā-mur**	capi-**ēbā-mur**
	2. Pers.	vocā-**bā-minī**	monē-**bā-minī**	audi-**ēbā-minī**	ag-**ēbā-minī**	capi-**ēbā-minī**
	3. Pers.	vocā-**ba-ntur**	monē-**ba-ntur**	audi-**ēba-ntur**	ag-**ēba-ntur**	capi-**ēba-ntur**
Konj. Impf.	Sg. 1. Pers.	vocā-**re-r**	monē-**re-r**	audī-**re-r**	ag-**e-re-r**	cápe-**re-r**
	2. Pers.	vocā-**rē-ris**	monē-**rē-ris**	audī-**rē-ris**	ag-**e-rē-ris**	cape-**rē-ris**
	3. Pers.	vocā-**rē-tur**	monē-**rē-tur**	audī-**rē-tur**	ag-**e-rē-tur**	cape-**rē-tur**
	Pl. 1. Pers.	vocā-**rē-mur**	monē-**rē-mur**	audī-**rē-mur**	ag-**e-rē-mur**	cape-**rē-mur**
	2. Pers.	vocā-**rē-minī**	monē-**rē-minī**	audī-**rē-minī**	ag-**e-rē-minī**	cape-**rē-minī**
	3. Pers.	vocā-**re-ntur**	monē-**re-ntur**	audī-**re-ntur**	ag-**e-re-ntur**	cape-**re-ntur**
Futur	Sg. 1. Pers.	vocā-**b-or**	monē-**b-or**	audi-**a-r**	ag-**a-r**	capi-**a-r**
	2. Pers.	vocā-**be-ris**	monē-**be-ris**	audi-**ē-ris**	ag-**ē-ris**	capi-**ē-ris**
	3. Pers.	vocā-**bi-tur**	monē-**bi-tur**	audi-**ē-tur**	ag-**ē-tur**	capi-**ē-tur**
	Pl. 1. Pers.	vocā-**bi-mur**	monē-**bi-mur**	audi-**ē-mur**	ag-**ē-mur**	capi-**ē-mur**
	2. Pers.	vocā-**bi-minī**	monē-**bi-minī**	audi-**ē-minī**	ag-**ē-minī**	capi-**ē-minī**
	3. Pers.	vocā-**bu-ntur**	monē-**bu-ntur**	audi-**e-ntur**	ag-**e-ntur**	capi-**e-ntur**
Partizip Perfekt Passiv (PPP)		vocā-**tus, a, um**	moni-**tus, a, um**	audī-**tus, a, um**	āc-**tus, a, um**	cap-**tus, a, um**
Gerundiv		voca-ndus a, um	mone-ndus a, um	audie-ndus a, um	age-ndus a, um	capie-ndus a, um

VERBEN: PERFEKTSTAMM

		AKTIV	PASSIV
	Inf. Perf. Akt. / Inf. Perf. Pass.	**vocāv-isse**	**vocā-tum esse**
Ind. Perf.	Sg. 1. Pers.	vocāv-**ī**	vocā-**tus sum**
	2. Pers.	vocāv-**istī**	vocā-**tus es**
	3. Pers.	vocāv-**it**	vocā-**tus est**
	Pl. 1. Pers.	vocāv-**imus**	vocā-**tī sumus**
	2. Pers.	vocāv-**istis**	vocā-**tī estis**
	3. Pers.	vocāv-**ērunt**	vocā-**tī sunt**
Konj. Perf.	Sg. 1. Pers.	vocāv-**erim**	vocā-**tus sim**
	2. Pers.	vocāv-**eris**	vocā-**tus sīs**
	3. Pers.	vocāv-**erit**	vocā-**tus sit**
	Pl. 1. Pers.	vocāv-**erimus**	vocā-**tī sīmus**
	2. Pers.	vocāv-**eritis**	vocā-**tī sītis**
	3. Pers.	vocāv-**erint**	vocā-**tī sint**
Ind. Plusqpf.	Sg. 1. Pers.	vocāv-**eram**	vocā-**tus eram**
	2. Pers.	vocāv-**erās**	vocā-**tus erās**
	3. Pers.	vocāv-**erat**	vocā-**tus erat**
	Pl. 1. Pers.	vocāv-**erāmus**	vocā-**tī erāmus**
	2. Pers.	vocāv-**erātis**	vocā-**tī erātis**
	3. Pers.	vocāv-**erant**	vocā-**tī erant**
Konj. Plusqpf.	Sg. 1. Pers.	vocāv-**issem**	vocā-**tus essem**
	2. Pers.	vocāv-**issēs**	vocā-**tus essēs**
	3. Pers.	vocāv-**isset**	vocā-**tus esset**
	Pl. 1. Pers.	vocāv-**issēmus**	vocā-**tī essēmus**
	2. Pers.	vocāv-**issētis**	vocā-**tī essētis**
	3. Pers.	vocāv-**issent**	vocā-**tī essent**
Futur II	Sg. 1. Pers.	vocāv-**erō**	vocā-**tus erō**
	2. Pers.	vocāv-**eris**	vocā-**tus eris**
	3. Pers.	vocāv-**erit**	vocā-**tus erit**
	Pl. 1. Pers.	vocāv-**erimus**	vocā-**tī érimus**
	2. Pers.	vocāv-**eritis**	vocā-**tī éritis**
	3. Pers.	vocāv-**erint**	vocā-**tī érunt**

HILFSVERB

		esse Inf. Präs.			**fuisse** Inf. Perf.	
		Indikativ	Konjunktiv		Indikativ	Konjunktiv
Präsens	Sg. 1. Pers.	su-**m**	s-**i-m**	**Perfekt**	fu-**ī**	fu-**erim**
	2. Pers.	**es**	s-**ī-s**		fu-**istī**	fu-**eris**
	3. Pers.	es-**t**	s-**i-t**		fu-**it**	fu-**erit**
	Pl. 1. Pers.	s-u-**mus**	s-**ī-mus**		fu-**imus**	fu-**erimus**
	2. Pers.	es-**tis**	s-**ī-tis**		fu-**istis**	fu-**eritis**
	3. Pers.	su-**nt**	s-**ī-nt**		fu-**ērunt**	fu-**erint**
Imperfekt	Sg. 1. Pers.	er-**a-m**	es-**se-m**	**Plusquamperfekt**	fu-**eram**	fu-**issem**
	2. Pers.	er-**ā-s**	es-**sē-s**		fu-**erās**	fu-**issēs**
	3. Pers.	er-**a-t**	es-**se-t**		fu-**erat**	fu-**isset**
	Pl. 1. Pers.	er-**ā-mus**	es-**sē-mus**		fu-**erāmus**	fu-**issēmus**
	2. Pers.	er-**ā-tis**	es-**sē-tis**		fu-**erātis**	fu-**issētis**
	3. Pers.	er-**a-nt**	es-**se-nt**		fu-**erant**	fu-**issent**
Futur	Sg. 1. Pers.	er-**ō**	Part. Fut.	**Futur II**	fu-**ero**	
	2. Pers.	er-**i-s**	fu-**tūrus,**		fu-**eris**	
	3. Pers.	er-**i-t**	**a, um**		fu-**erit**	
	Pl. 1. Pers.	er-**i-mus**	Inf. Fut.		fu-**erimus**	
	2. Pers.	er-**i-tis**	fu-**tūrum,**		fu-**eritis**	
	3. Pers.	er-**u-nt**	**am, um esse**		fu-**erint**	

ANDERE VERBEN

		īre Inf. Präs.			**īsse** Inf. Perf.	
		Indikativ	Konjunktiv		Indikativ	Konjunktiv
Präsens	Sg. 1. Pers.	e-**ō**	e-**a-m**	**Perfekt**	i-**ī**	i-**erim**
	2. Pers.	ī-**s**	e-**ā-s**		ī-**stī**	i-**eris**
	3. Pers.	i-**t**	e-**a-t**		i-**it**	i-**erit**
	Pl. 1. Pers.	ī-**mus**	e-**ā-mus**		i-**imus**	i-**erimus**
	2. Pers.	ī-**tis**	e-**ā-tis**		ī-**stis**	i-**eritis**
	3. Pers.	e-u-**nt**	e-**a-nt**		i-**ērunt**	i-**erint**
Imperfekt	Sg. 1. Pers.	ī-**ba-m**	ī-**re-m**	**Plusquamperfekt**	i-**eram**	**īssem**
	2. Pers.	ī-**bā-s**	ī-**rē-s**		i-**erās**	**īssēs**
	3. Pers.	ī-**ba-t**	ī-**re-t**		i-**erat**	**īsset**
	Pl. 1. Pers.	ī-**bā-mus**	ī-**rē-mus**		i-**erāmus**	**īssēmus**
	2. Pers.	ī-**bā-tis**	ī-**rē-tis**		i-**erātis**	**īssētis**
	3. Pers.	ī-**ba-nt**	ī-**re-nt**		i-**erant**	**īssent**
Futur	Sg. 1. Pers.	ī-**b-ō**		**Futur II**	i-**erō**	
	2. Pers.	ī-**bi-s**			i-**eris**	
	3. Pers.	ī-**bi-t**			i-**erit**	
	Pl. 1. Pers.	ī-**bi-mus**			i-**erimus**	
	2. Pers.	ī-**bi-tis**			i-**eritis**	
	3. Pers.	ī-**bu-nt**			i-**erint**	

PPA iē**ns**, eu**ntis**

ANDERE VERBEN

ferre (Inf. Präs. Akt.) / **ferrī** (Inf. Präs. Pass.)

		Indikativ Akt.	Konjunktiv Akt.	Indikativ Pass.	Konjunktiv Pass.
Präsens	Sg. 1. Pers.	fer-**ō**	fer-**a-m**	fer-**o-r**	fer-**a-r**
	2. Pers.	fer-**s**	fer-**ā-s**	fer-**ris**	fer-**ā-ris**
	3. Pers.	fer-**t**	fer-**a-t**	fer-**tur**	fer-**ā-tur**
	Pl. 1. Pers.	fer-**i-mus**	fer-**ā-mus**	fer-**i-mur**	fer-**ā-mur**
	2. Pers.	fer-**tis**	fer-**ā-tis**	fer-**i-minī**	fer-**ā-minī**
	3. Pers.	fer-**u-nt**	fer-**a-nt**	fer-**u-ntur**	fer-**a-ntur**
Imperfekt	Sg. 1. Pers.	fer-**ēba-m**	fer-**re-m**	fer-**ēba-r**	fer-**re-r**
	2. Pers.	fer-**ēbā-s**	fer-**rē-s**	fer-**ēbā-ris**	fer-**rē-ris**
	3. Pers.	fer-**ēba-t**	fer-**re-t**	fer-**ēba-tur**	fer-**rē-tur**
	Pl. 1. Pers.	fer-**ēbā-mus**	fer-**rē-mus**	fer-**ēbā-mur**	fer-**rē-mur**
	2. Pers.	fer-**ēbā-tis**	fer-**rē-tis**	fer-**ēbā-minī**	fer-**rē-minī**
	3. Pers.	fer-**ēba-nt**	fer-**re-nt**	fer-**ēba-ntur**	fer-**re-ntur**
Futur	Sg. 1. Pers.	fer-**a-m**		fer-**a-r**	
	2. Pers.	fer-**ē-s**		fer-**ē-ris**	
	3. Pers.	fer-**e-t**		fer-**ē-tur**	
	Pl. 1. Pers.	fer-**ē-mus**		fer-**ē-mur**	
	2. Pers.	fer-**ē-tis**		fer-**ē-minī**	
	3. Pers.	fer-**e-nt**		fer-**ē-ntur**	

Part. Präs. fer-**ē-ns, -ntis**

PPP lātus, a, um

fieri (Inf. Präs.) / **velle** (Inf. Präs.)

		fieri Indikativ	fieri Konjunktiv	velle Indikativ	velle Konjunktiv
Präsens	Sg. 1. Pers.	fī-**ō**	fī-**a-m**	vol-**ō**	vel-**i-m**
	2. Pers.	fī-**s**	fī-**ā-s**	vī-**s**	vel-**ī-s**
	3. Pers.	fi-**t**	fī-**a-t**	vul-**t**	vel-**i-t**
	Pl. 1. Pers.	fī-**mus**	fī-**ā-mus**	volu-**mus**	vel-**ī-mus**
	2. Pers.	fī-**tis**	fī-**ā-tis**	vul-**tis**	vel-**ī-tis**
	3. Pers.	fī-**u-nt**	fī-**a-nt**	volu-**nt**	vel-**i-nt**
Imperfekt	Sg. 1. Pers.	fi-**ēba-m**	fi-**ere-m**	vol-**ēba-m**	velle-**m**
	2. Pers.	fi-**ēbā-s**	fi-**erē-s**	vol-**ēbā-s**	vellē-**s**
	3. Pers.	fi-**ēba-t**	fi-**ere-t**	vol-**ēba-t**	velle-**t**
	Pl. 1. Pers.	fi-**ēbā-mus**	fi-**erē-mus**	vol-**ēbā-mus**	vellē-**mus**
	2. Pers.	fi-**ēbā-tis**	fi-**erē-tis**	vol-**ēbā-tis**	vellē-**tis**
	3. Pers.	fi-**ēba-nt**	fi-**ere-nt**	vol-**ēba-nt**	velle-**nt**
Futur	Sg. 1. Pers.	fī-**a-m**		vol-**a-m**	
	2. Pers.	fi-**ē-s**		vol-**ē-s**	
	3. Pers.	fi-**e-t**		vol-**e-t**	
	Pl. 1. Pers.	fi-**ē-mus**		vol-**ē-mus**	
	2. Pers.	fi-**ē-tis**		vol-**ē-tis**	
	3. Pers.	fi-**e-nt**		vol-**e-nt**	

Part. Präs. vol-**ē-ns, -ntis**

IMPERIUM
ROMANUM
MARE
GERMANICUM
CIMBRI
TEUTONES
BRITANNIA
Londinium
GERMANIA LIBERA
Albis
Castra Vetera
Colonia Agrippina
GERMANIA
Confluentes
Mogontiacum
Sequana
Lutetia
Augusta
Treverorum
GERMANIA SUPER
Rhenus
Biriciana
GALLIA
OCEANUS ATLANTICUS
Alesia
Augusta Vindelicum
RAETIA
Cambodunum
Gergovia
Lugdunum
Rhodanus
GALLIA
CISALPINA
Comum
Verona
Padus
Mediolanum
AQUITANIA
Portus Cale
Massilia
Narbo
Iberus
Nicaea
Tiberis
ETRURIA
Tagus
Toletum
CORSICA
HISPANIA
Saguntum
Roma
Italica
Corduba
SARDINIA
Baetis
Gades
Carthago Nova
BALEARES
Utica
AFRICA
Carthago
Selinus
MAURI
Zama
NUMIDIA
POENI
Thapsus